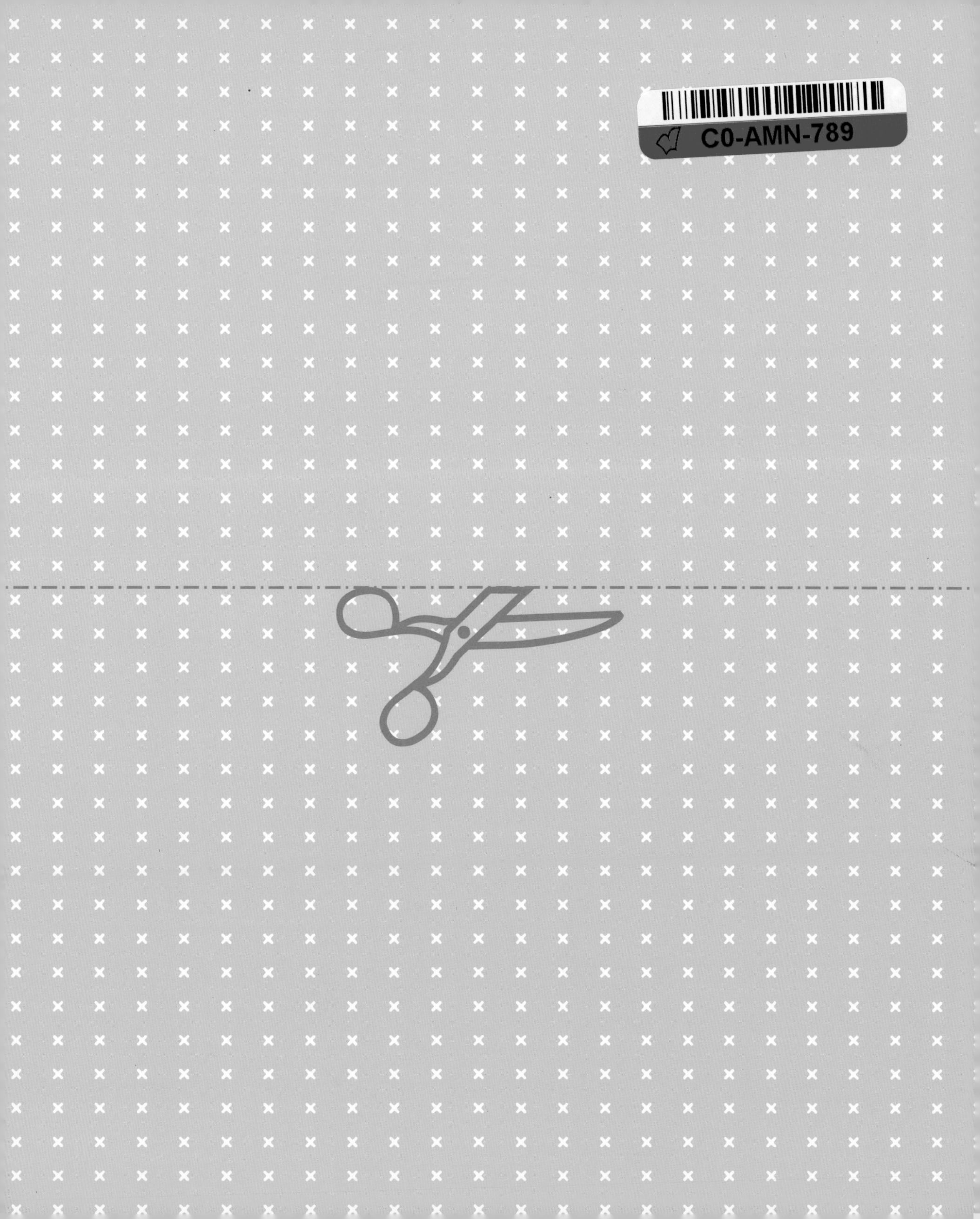

オリガミ雑貨Book

監修　小林一夫

オリガミ

一枚の紙がいろいろな形に変化していくのが、折り紙の楽しさ。色の組合せや紙の種類によって、同じ折り方でもがらりと雰囲気が変わるのも、楽しみの一つです。なにより、特別な道具も場所もいらないし、誰でも思い立ったらすぐできるのが、折り紙の最大のよさではないでしょうか。
この本では、ふだんの暮らしにすぐ取り入れられる、折って使える雑貨を紹介します。かわいい箱や箸袋、ぽち袋など、伝承の折り方で作ったものや、カードファイルや飲茶ボックスなど少しアレンジを加えて折ったもの、折り紙のテクニックを生かしたグリーティングカードなど、すぐに作れて使えるものばかりです。また、プレゼントするときに一折り一折りに心をこめたギフトボックスやラッピングで贈れば、相手にもよりいっそう喜んでもらえることでしょう。

Introduction

折り紙というと、真っ先に思い浮かぶのが、鶴。日本的な美しいイメージの折り鶴は、日本人ならほとんどの人が折れる折り紙の代表ですが、実はそのテクニックはかなり難しいものなのです。この本に掲載している作品は、鶴が折れればもちろん、うまく折れなくても簡単にできるものがほとんどです。
素材も、和紙やラッピングペーパー、壁紙など、色彩、質感の違うさまざまな種類の紙を使ってみました。作品のイメージにぴったりの紙はもちろんですが、ちょっとはずしてみても、意外にかわいいものができたりするのも楽しい発見です。ただし、紙の質や厚さによっては、強度が必要なものにはあまり適さないものもありますし、でき上りの形によっても、多少の向き、不向きがありますので、その点には注意してください。
お気に入りの紙で、一味違った折り紙を楽しんでみませんか。

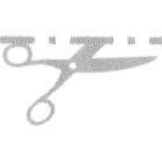

ORIGAMI Contents

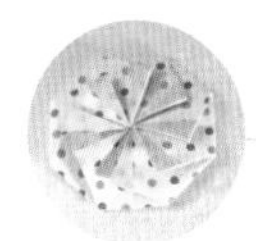
p.6,44
ぽち袋

p.8,46
封筒

p.10,47
カード

p.12,49
ブックカバー

p.14,49
カードファイル

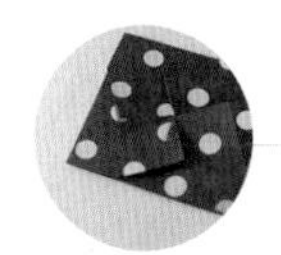
p.15,50
フロッピーケース

p.16,50
フレーム

p.18,51
ランチボックス
カトラリーケース

p.19,54
飲茶ボックス

p.20,55
ケーキボックス

p.21,56
マフィン型

p.22,57
正方形の箱
長方形の箱

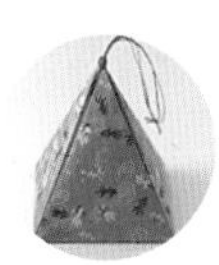
p.24,59
ピラミッド形ボックス

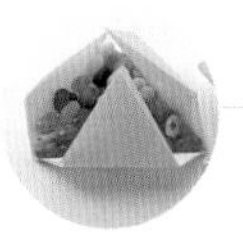
p.26,60
三角の小箱

p.27,59
箸袋

p.28,61
クリスマスツリー

p.29,61
クリスマスオーナメント

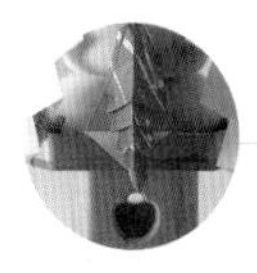
p.30,64
お正月飾り

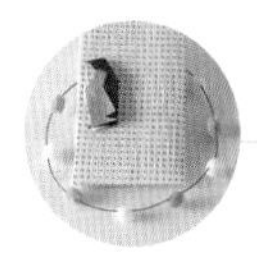
p.31,67
お年玉袋

p.31,66
お祝いの箸袋

p.32,69
祝儀袋

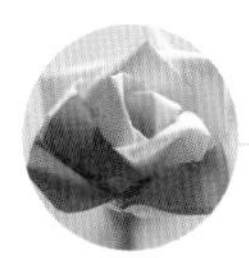
p.34,72
ばらのランプ

p.36,74
ラッピング
箱、筒

p.38,78
ラッピング
ボトル、ぬいぐるみ

ぽち袋

Pochibukuro

持っているだけでなんだかうれしくなるぽち袋。正方形、長方形、八角形の3種。種を入れたり、ボタンを入れたり、自由に楽しく使います。作り方 p.44

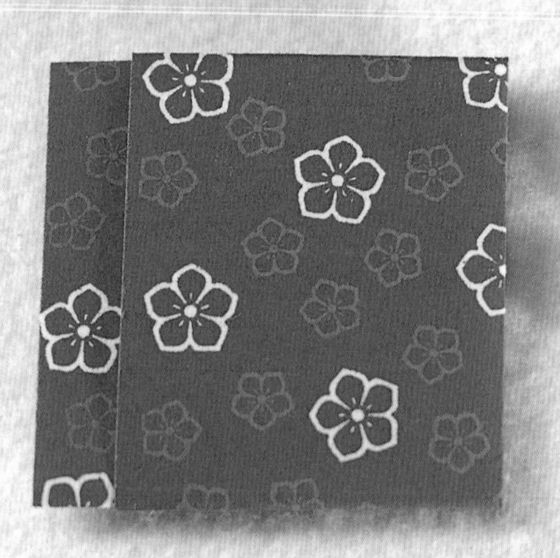

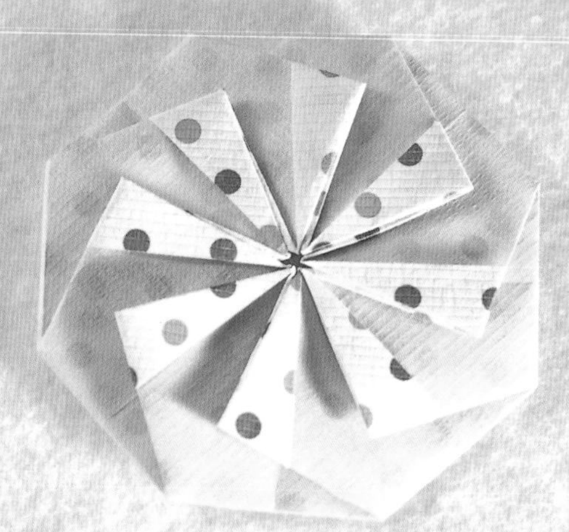

ぽち袋

Pochibukuro

Envelope

封筒

お気に入りの紙で折る封筒。色の濃いものや柄のあるものはラベルをはって。

作り方 p.46

Envelope

オリジナルの封筒で手紙を出す楽しみもアップ。定形サイズで折りましょう。

作り方 p.46

封筒

山梨明子創作

折り紙のテクニックをつかって
一味違う手作りカードを。

カード Card

クリスマスカード
もみの木に見立てた松の千代紙を厚紙にはり、折り紙のクリスマスツリーを飾りました。
作り方 p.47

グリーティングカード
お花畑に蝶が飛んでいる楽しいカード。ミラーコートの紙を組み合わせて、奥行きを出しています。作り方 p.47

ウェディングカード

和紙を花びら形に切って、トレーシングペーパーにはさんだシンプルなカード。花嫁に幸せを運ぶサムシングブルーにちなんで、淡いブルーの和紙でカードを包んで。
作り方 p.48

バースデーカード

メッシュの紙をポケット状にはり、折り紙のプレゼントボックスを入れました。厚紙にもプレゼント柄の紙をはって、文字はリボンで。作り方 p.48

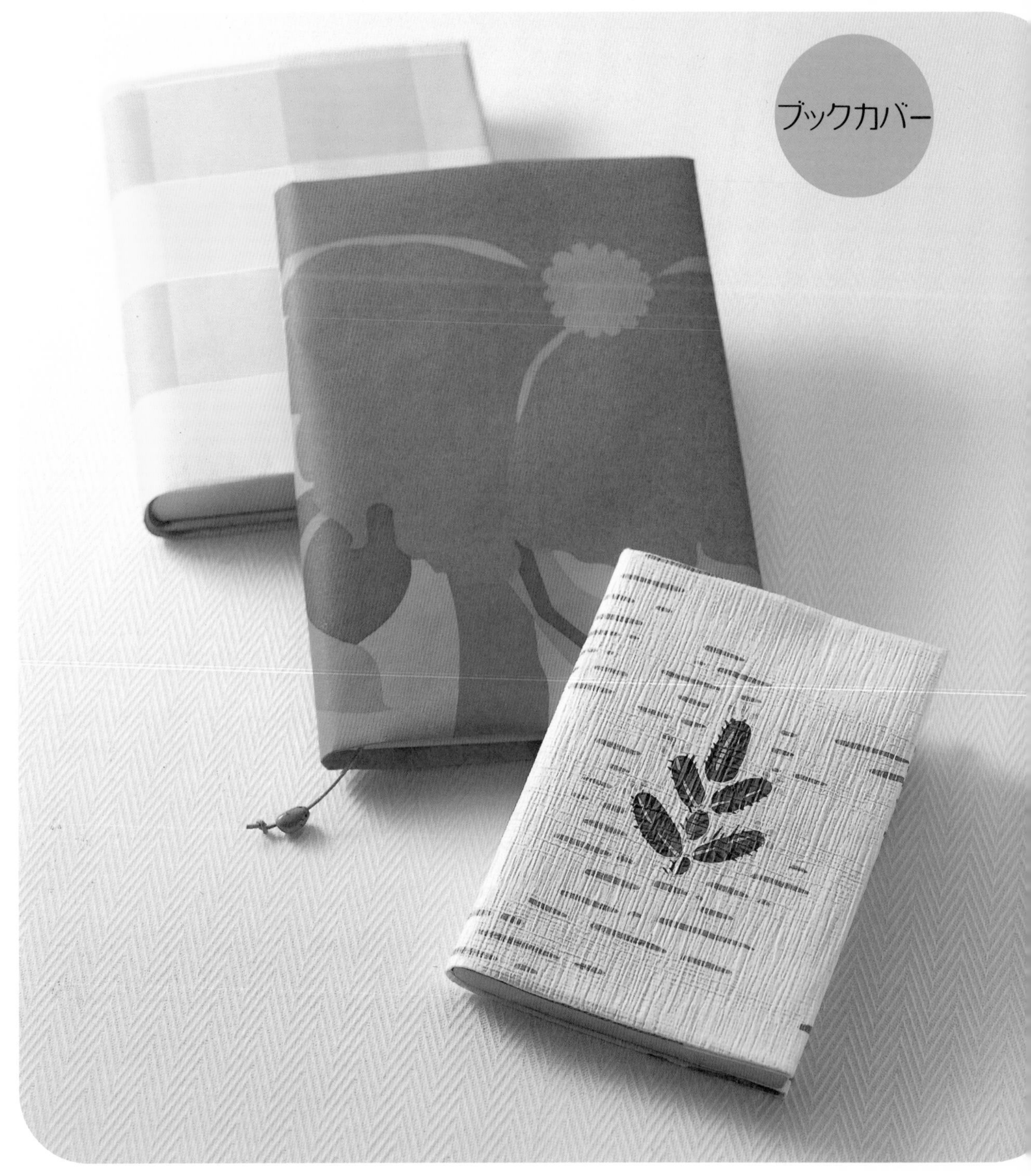
ブックカバー

Bookcover

おなじみのブックカバー。ラッピングペーパー、壁紙、和紙を使ってそれぞれの表情を楽しみます。

作り方 p.49

カードファイル

Card file

アコーディオン状に折って作ったカードファイル。
ポストカードサイズと名刺サイズです。作り方 p.49

フロッピーケース

Floppy case

中心と角をきちんと合わせるのが
きれいに仕上げるポイントです。
小さく作ってぽち袋にも。
作り方 p.50

frame

フレーム

ふわふわとした紙の質感を生かした、かわいいフレーム。
作り方 p.50

frame

Lunch box

りすの柄が楽しいランチタイムを演出。写真では見えませんが、カトラリーケースと同様、黄色の紙と二重になっています。作り方 p.51

ランチボックス

Yamucha box

飲茶ボックス

中国風の柄を見つけたので、飲茶ボックスにしてみました。作り方 p.54

Cake box

ケーキボックス

手作りのケーキをプレゼントするときにぴったりのケーキボックス。自分で折れば、好きな紙でサイズも思いのまま。作り方 p.55

Cake case

ワックスペーパーで作る、そのまま焼けるマフィン型。
マフィンの形をきれいに仕上げるには、さらに型に入れて焼いたほうがいいでしょう。作り方 p.56

なにかと便利な箱。
正方形はしっかりした洋紙で、長方形は千代紙で折りました。紙の質や色、柄で雰囲気ががらりと変わるので、いろいろ作りたくなります。
作り方 p.57

正方形の箱

Square box

うさぎの柄がかわいい千代紙で。　作り方 p.58

Rectangular box

長方形の箱

濃淡が逆転した千代紙で小粋な箱に。

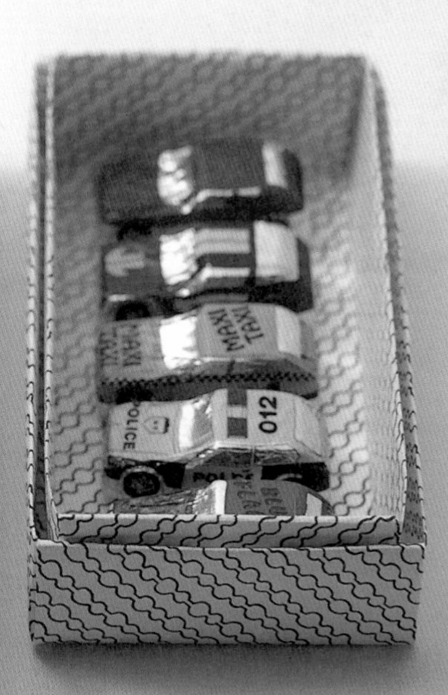

Pyramidal box

ピラミッド形ボックス

千代紙で折った、ピラミッド形のギフトボックス。
ひもを通してつり下げて。作り方 p.59

Pyramidal box

三角の小箱

Triangular box

三角形に折り込んだ小さな箱。お菓子やキャンドルを入れてプレゼントに。作り方 p.60

Chopstick case

箸袋

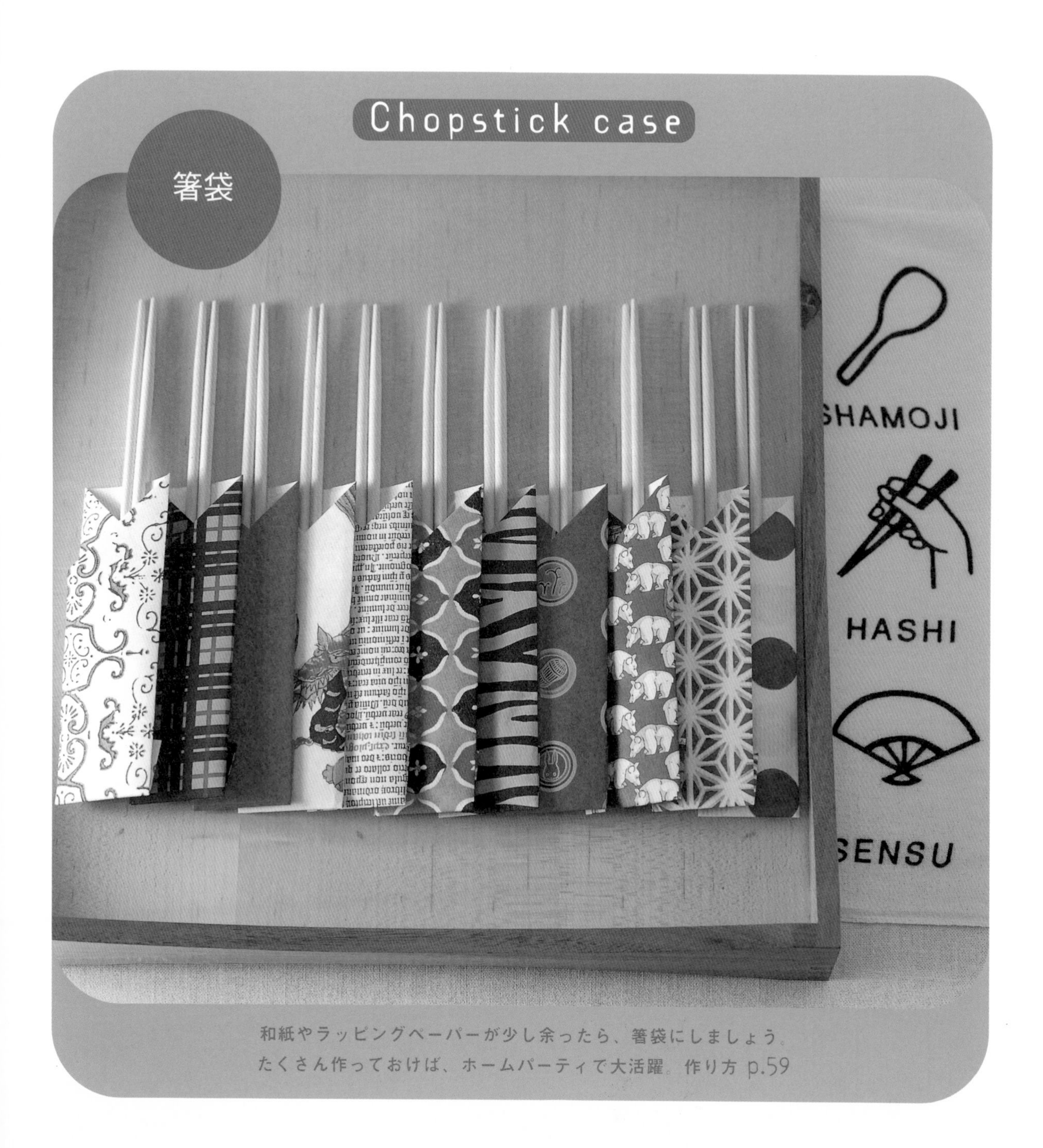

和紙やラッピングペーパーが少し余ったら、箸袋にしましょう。
たくさん作っておけば、ホームパーティで大活躍。作り方 p.59

Christmas tree

星つきのかわいいツリーはグリーンとシルバーのリバーシブルの折り紙を使って。作り方 p.61

Christmas ornament

クリスマスオーナメント

クリスマスツリーと同じ紙で星とキャンドルとブーツを。
色味を抑えたシックなオーナメントです。作り方 p.61

New year's decoration

お正月に欠かせ
ないえびを、雅やか
な和紙で折りました。
作り方 p.64

お正月飾り

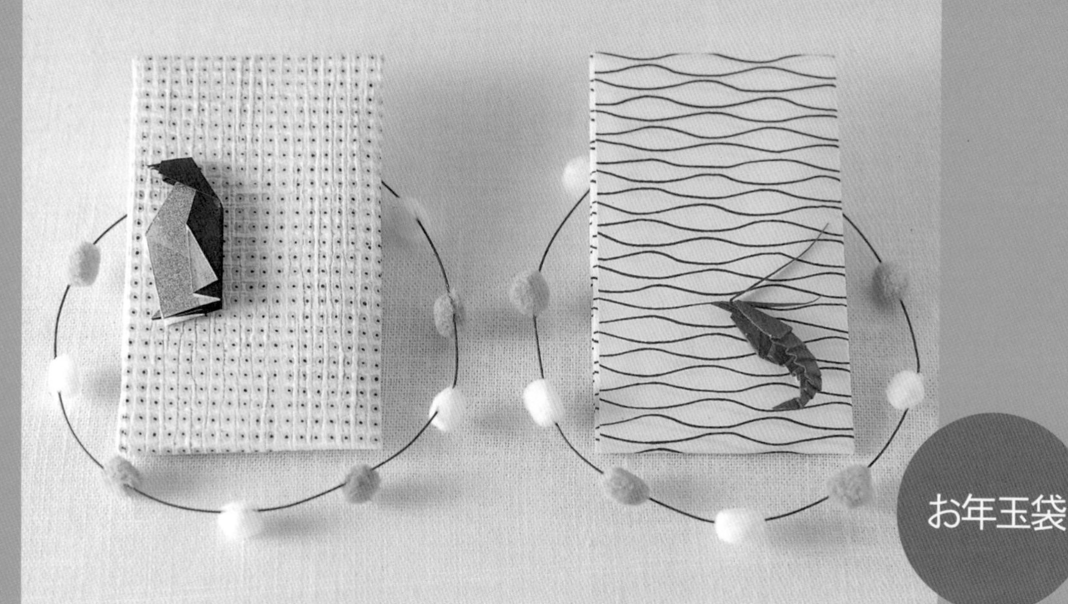

お年玉袋

シンプルな千代紙で作ったぽち袋にペンギンとえびを飾りました。作り方 p.67

Pochibukuro

Chopstick case

うさぎの千代紙を組み合わせて、若々しい雰囲気に。作り方 p.66

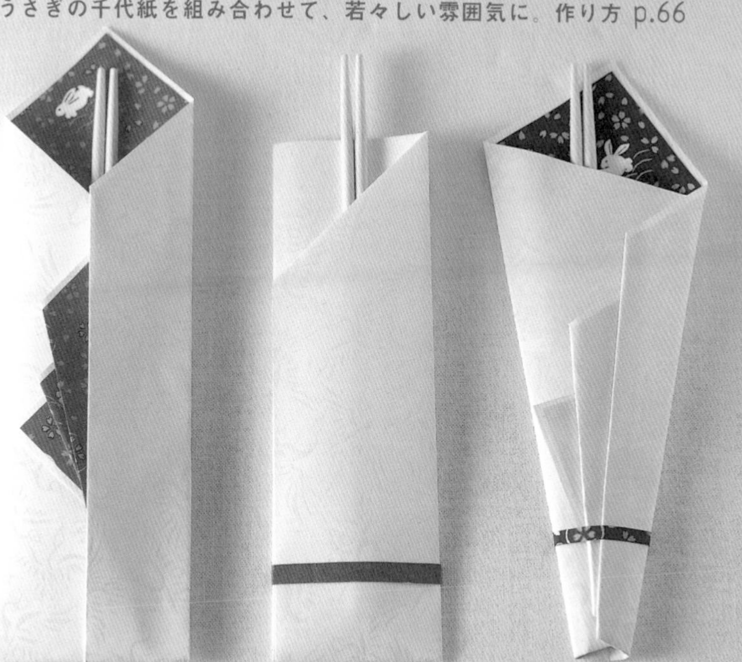

お祝いの箸袋

Shugibukuro

祝儀袋

Shugibukuro

基本的な折り方を覚えておくと、いざというとき役に立ちます。
水引の代りに千代紙の帯をつけて。作り方 p.69

ばらのランプ

ペーパーナプキンを使ってばらの花を作り、豆電球と合わせてきれいなランプに。リース状にしたり、つり下げたり、自由にアレンジできます。
作り方 p.72

Lamp

Wrapping

ラッピング筒

Wrapping

好きな紙で簡単ラッピング。２枚の紙を組み合わせたり、リボンやひもでオリジナリティを。
作り方 p.74

ラッピング
ボトル

サファリ柄は大胆に包んで。
ストライプの紙はちりめんのひもを結んで粋な感じに仕上げました。作り方 p.78

Wrapping

ぬいぐるみは薄くてやわらかい紙でふんわり包み、星のリボンでドレスアップ。作り方 p.79

オリガミ
折り方、作り方

How to make

この本の図では白いほうが裏面を表わしています。
紙のサイズは必要量を表示しています。それぞれのサイズに紙をカットして使用してください。
数字の単位はすべてcmです。

基本の折り方と記号
Basic

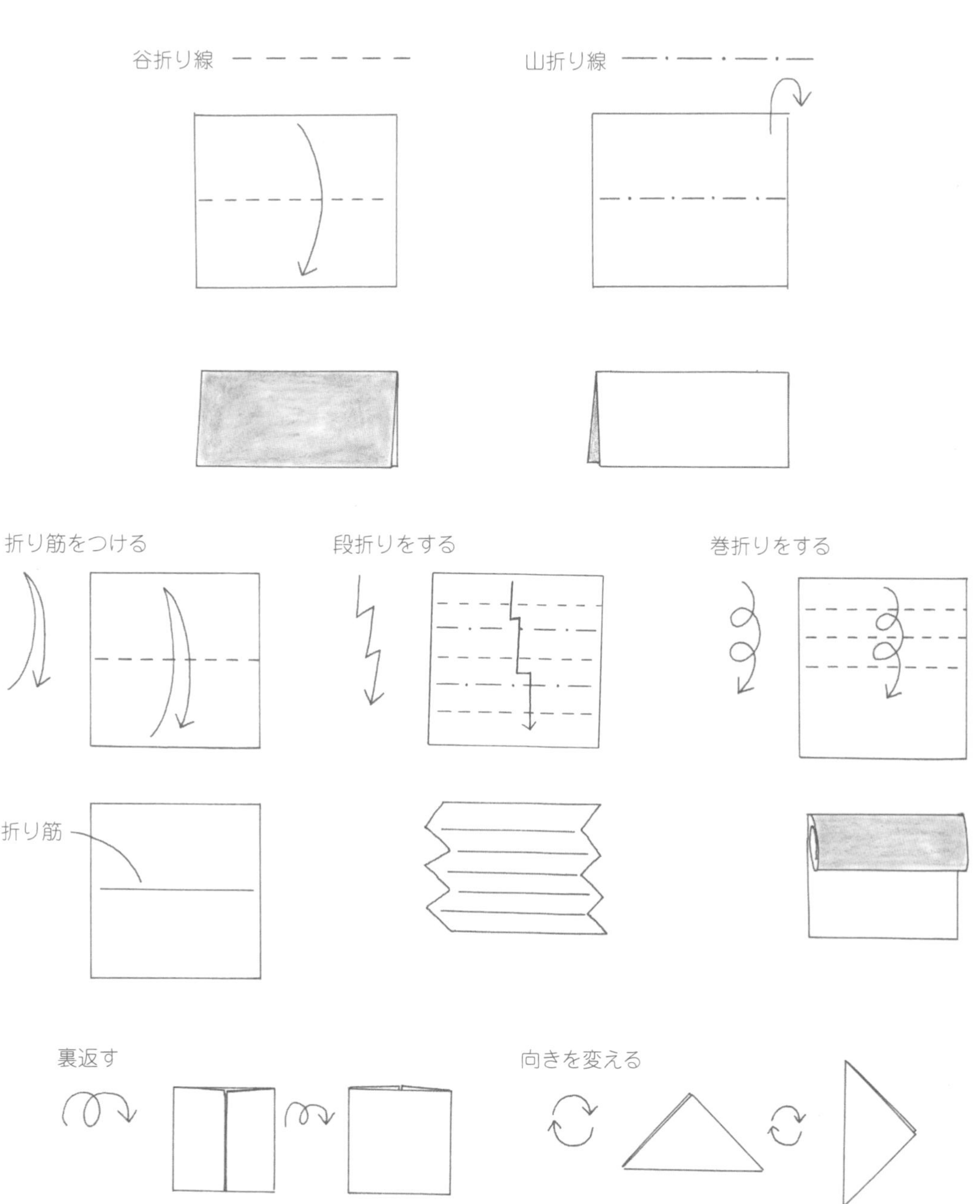

四角折り
Basic

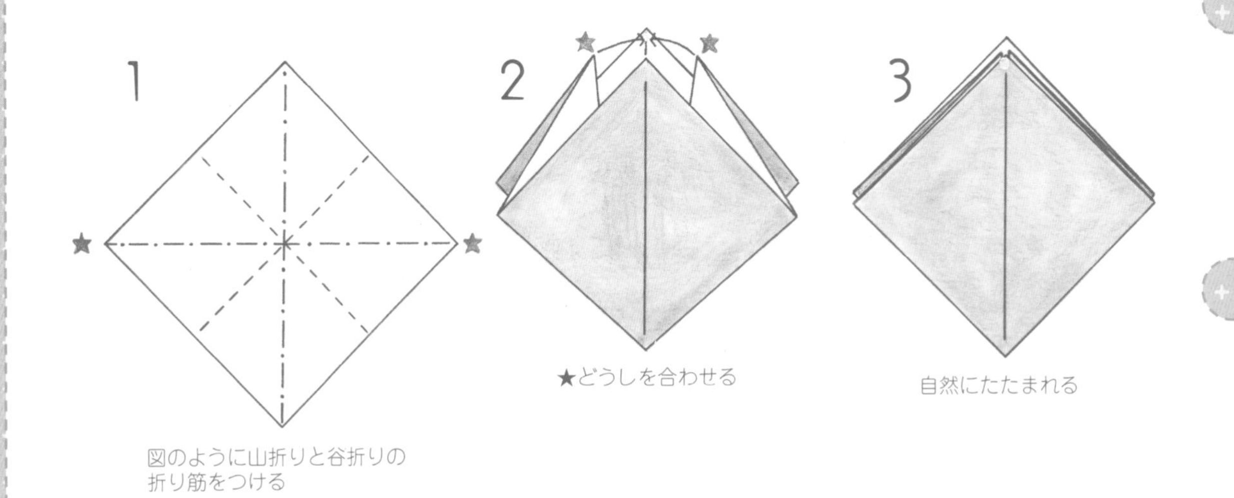

1 図のように山折りと谷折りの折り筋をつける

2 ★どうしを合わせる

3 自然にたたまれる

三角折り
Basic

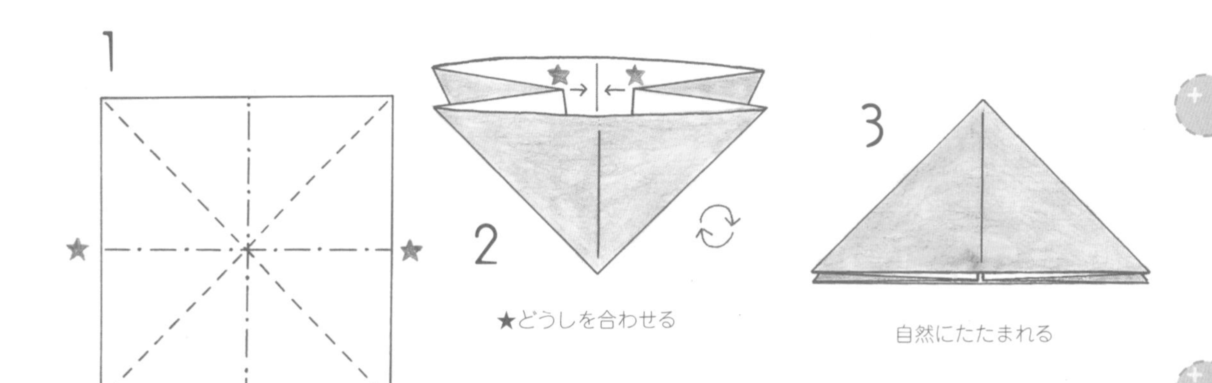

1 図のように山折りと谷折りの折り筋をつける

2 ★どうしを合わせる

3 自然にたたまれる

中割り折り
Basic

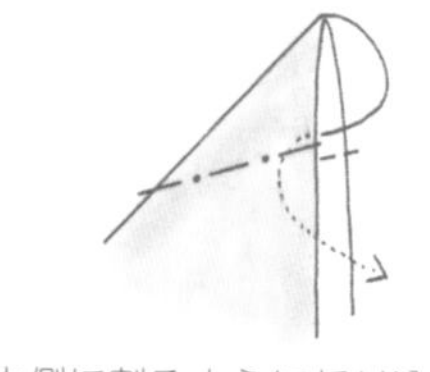

内側に割るように折り込む

1

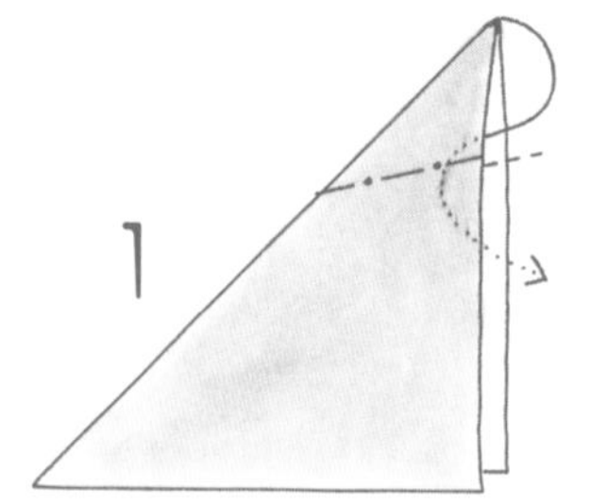

2

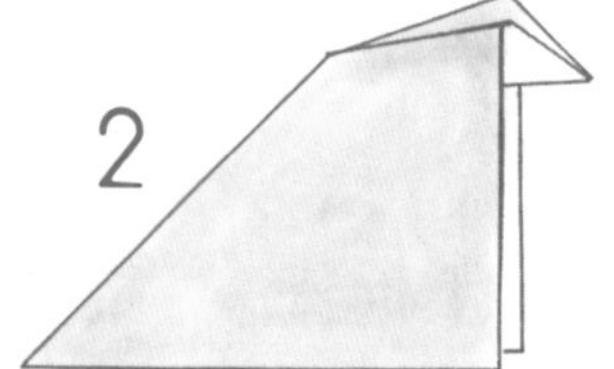

かぶせ折り
Basic

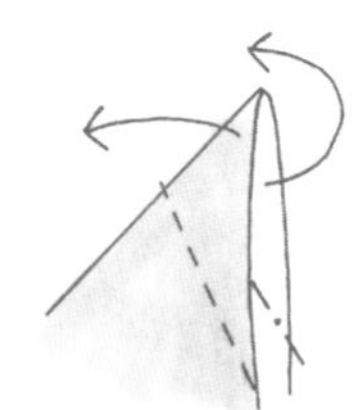

外側にかぶせるように折り返す

1

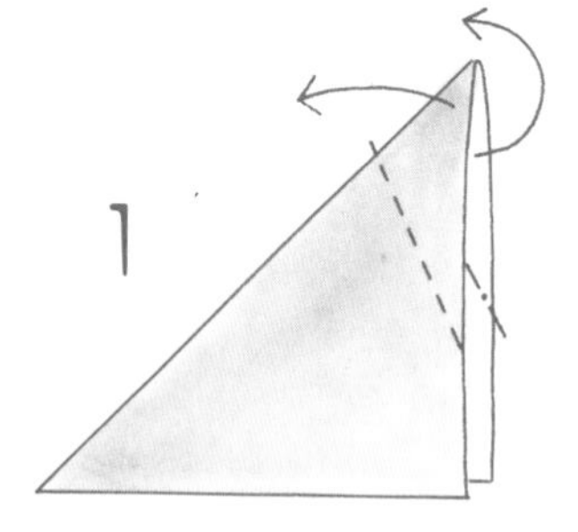

2

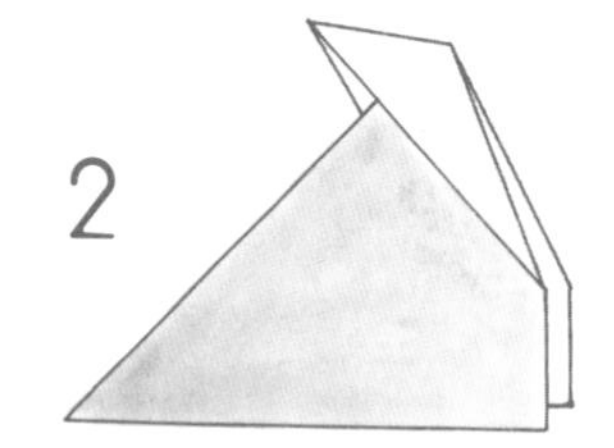

ざぶとん折り
Basic

1

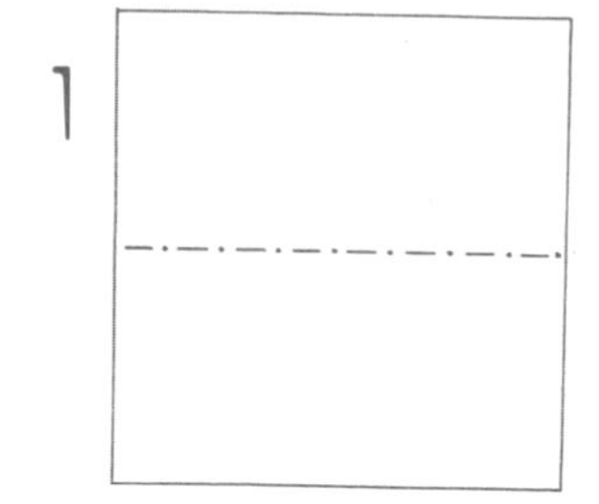

2

反対側も同様に折る

3

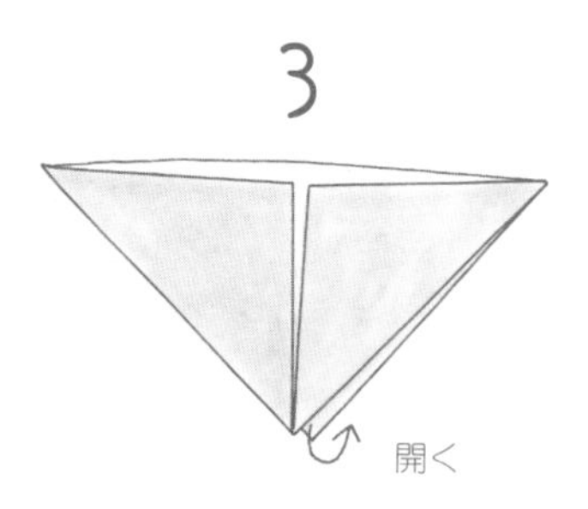

4

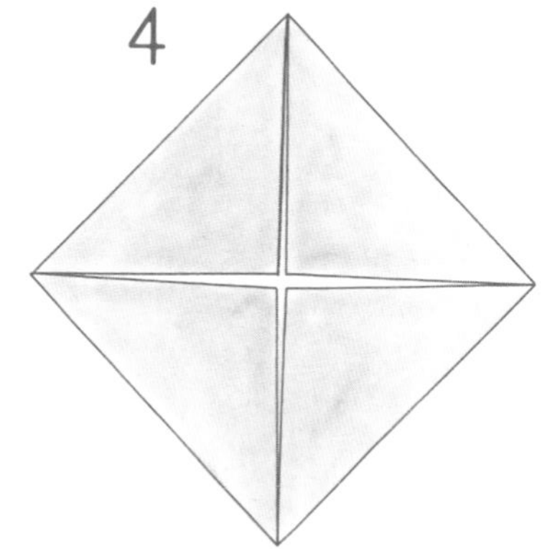

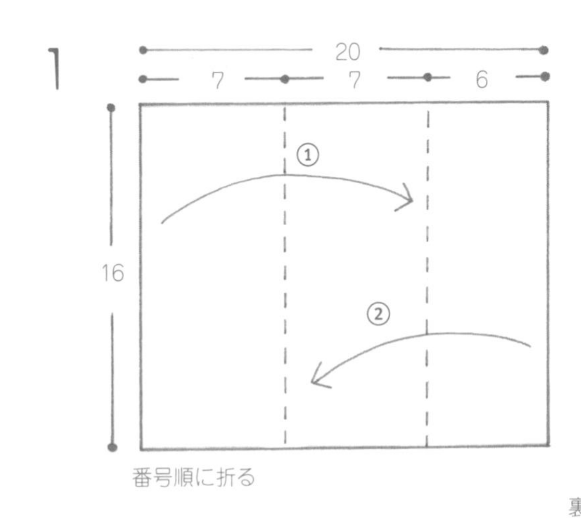

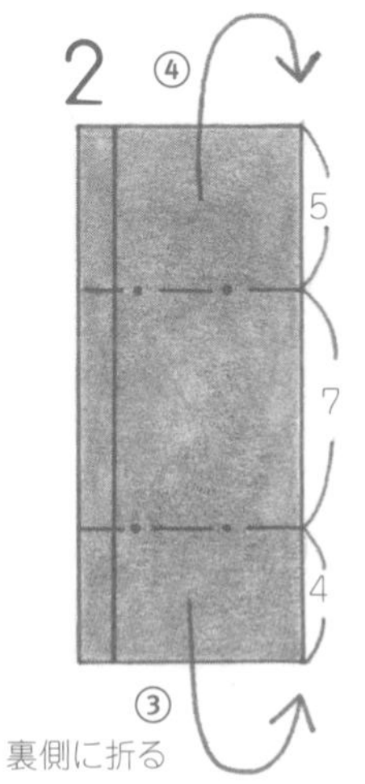

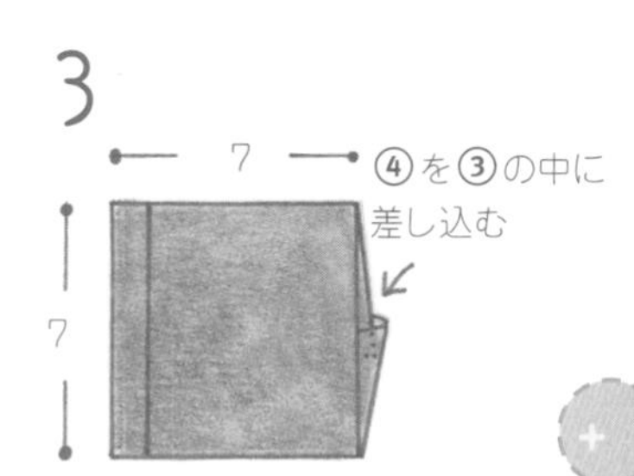

長方形…和紙　32×23cm

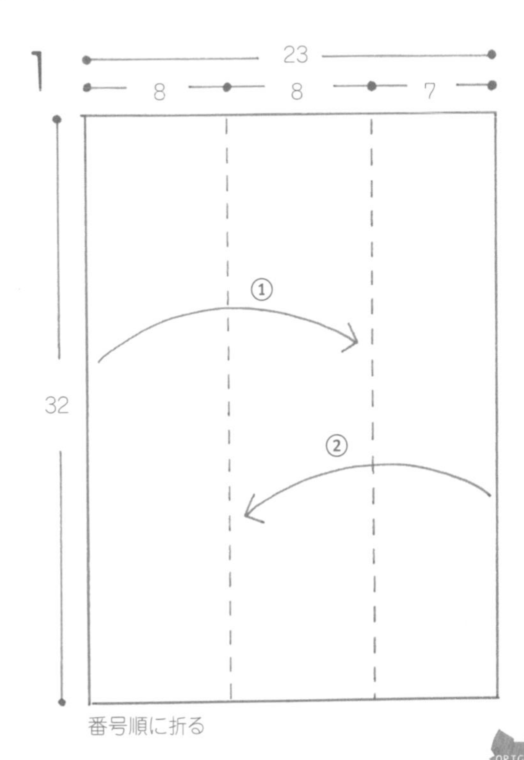

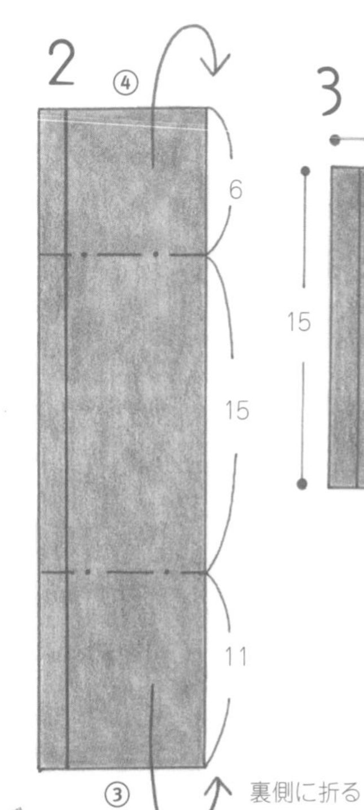

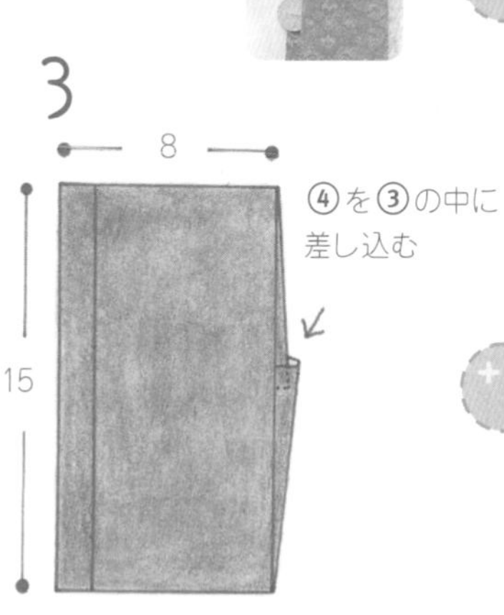

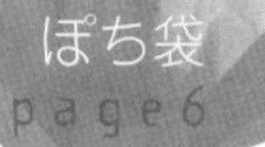

八角形…ラッピングペーパー　16×16cm

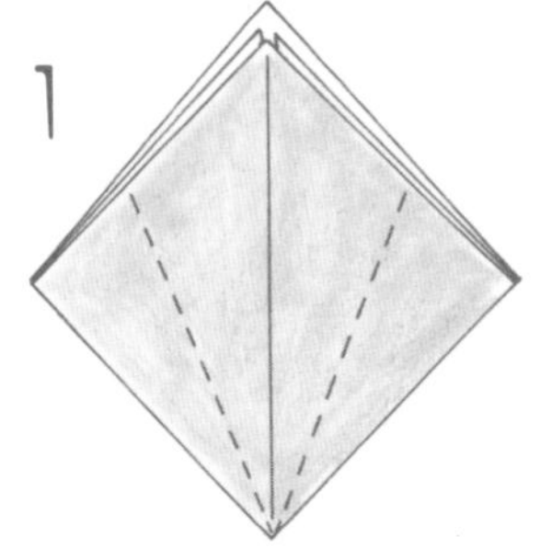

四角折りにして、さらに折り筋をつける。残りも同様にする

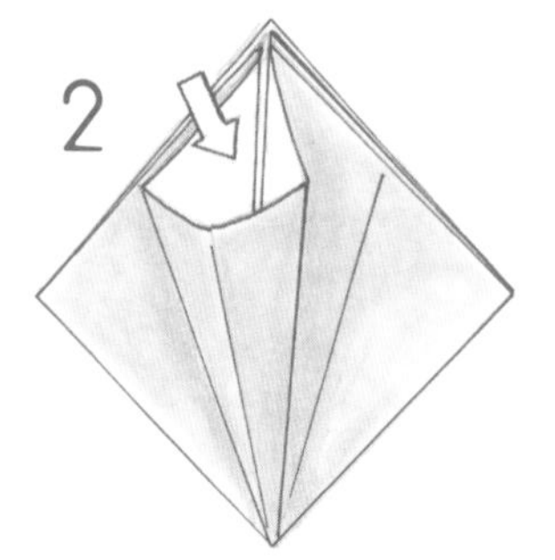

1でつけた折り筋の一方を山折りに変えて、開いてたたむ。残り3か所も同様にする

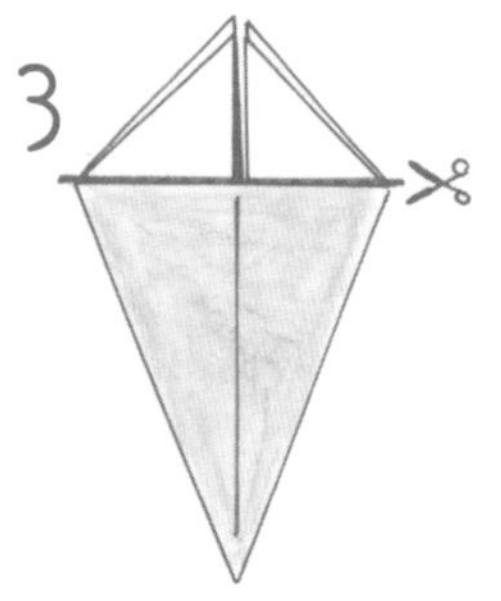

切り取る

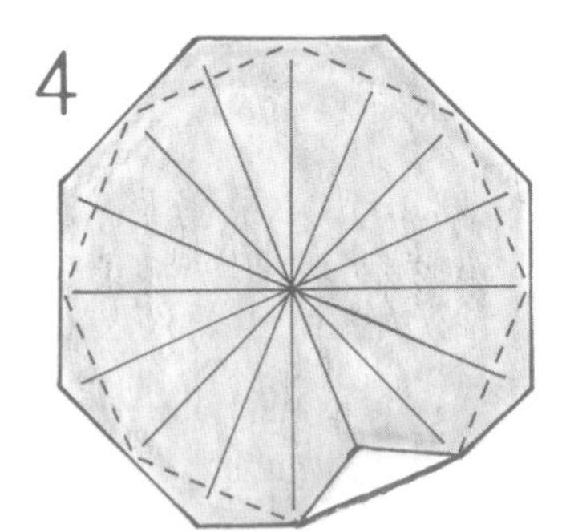

開いて8か所を三角に折る

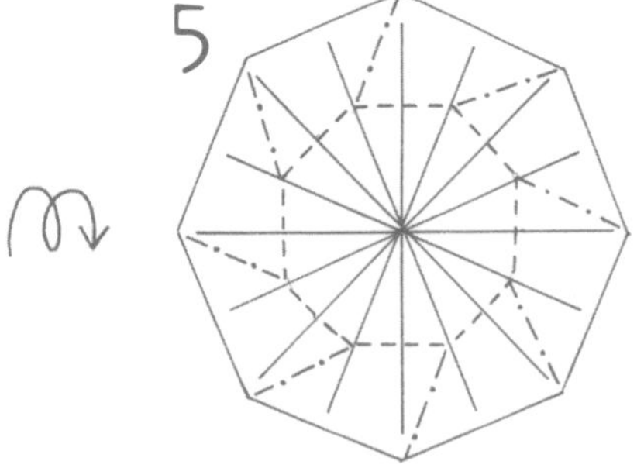

裏返して、角を中心に合わせて折り、いったん開いて図のように折り筋をつける

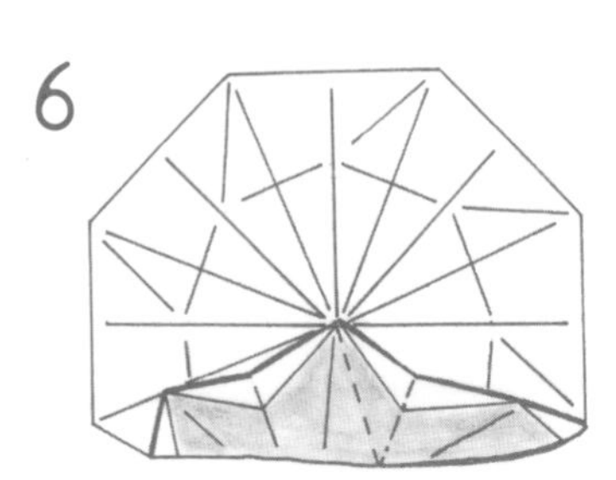

一つの角を中心に合わせて折り、5の折り筋どおりに折る

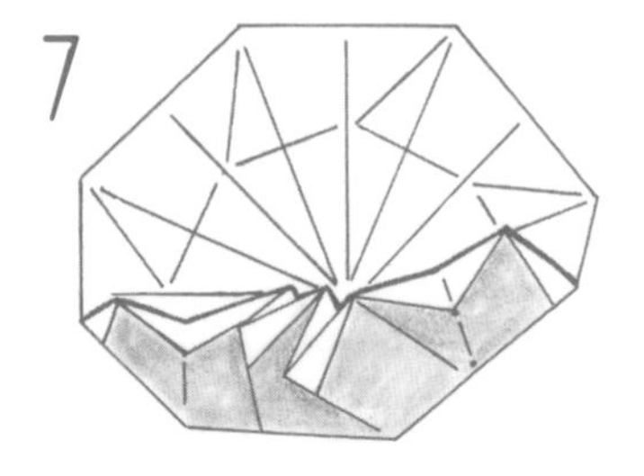

次々にたたむ

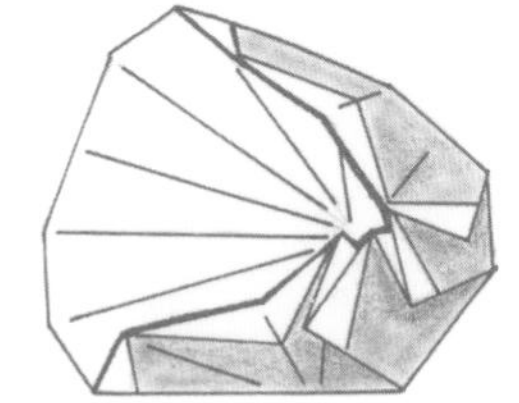

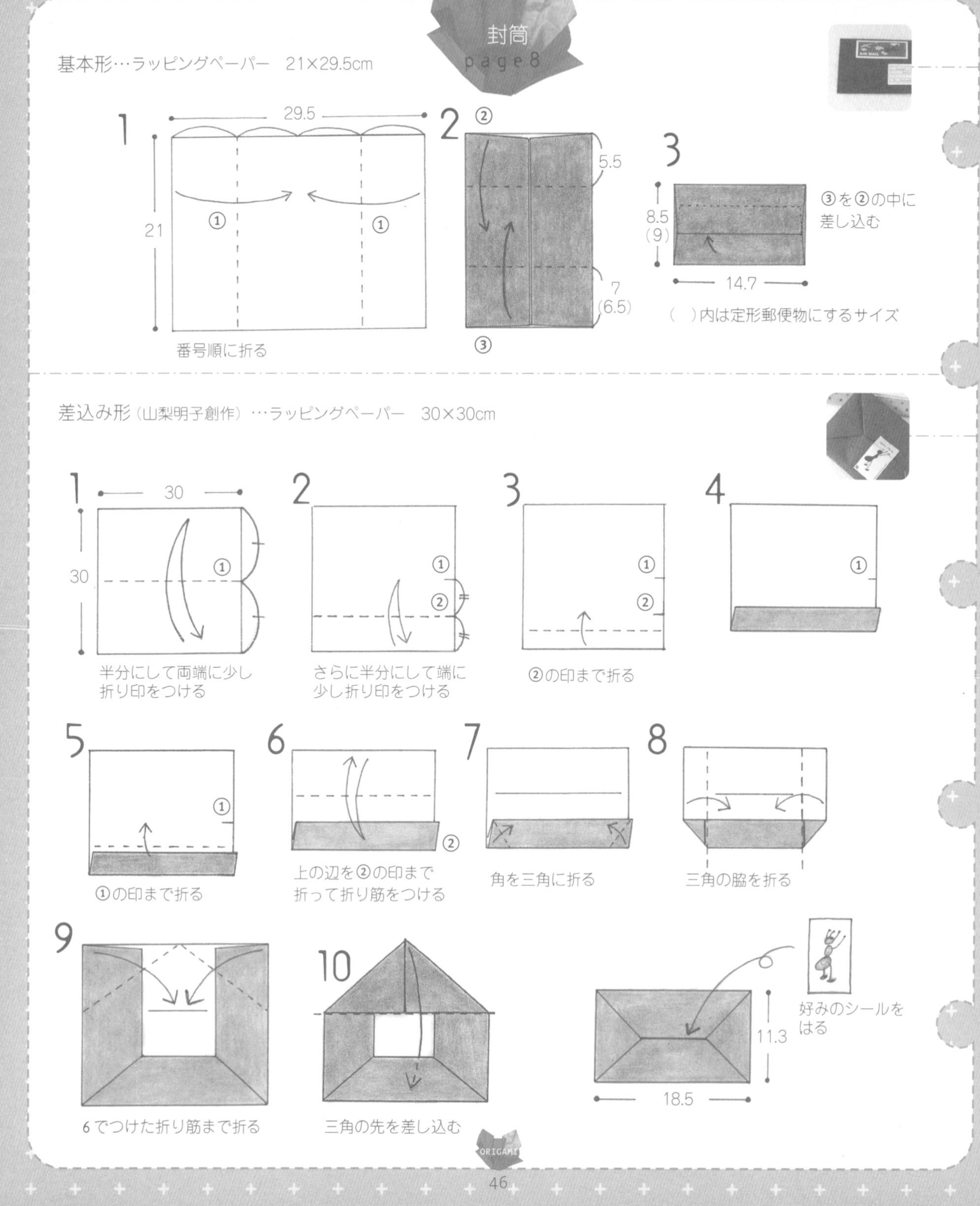
封筒
page 8
基本形…ラッピングペーパー　21×29.5cm
1
29.5
21
①
①
番号順に折る
2
②
5.5
7
(6.5)
③
3
8.5
(9)
14.7
③を②の中に
差し込む
(　)内は定形郵便物にするサイズ
差込み形（山梨明子創作）…ラッピングペーパー　30×30cm
1
30
30
①
半分にして両端に少し
折り印をつける
2
①
②
さらに半分にして端に
少し折り印をつける
3
①
②
②の印まで折る
4
①
5
①
①の印まで折る
6
②
上の辺を②の印まで
折って折り筋をつける
7
角を三角に折る
8
三角の脇を折る
9
6でつけた折り筋まで折る
10
三角の先を差し込む
11.3
18.5
好みのシールを
はる
ORIGAMI

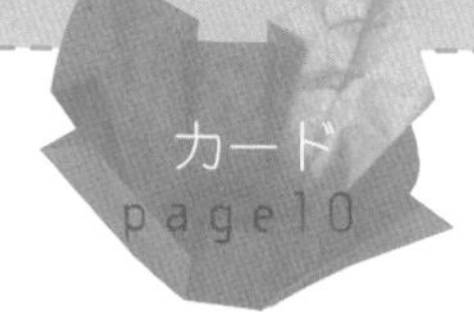

クリスマスカード

和紙　15.5×21cm
厚紙　15.5×21cm
折り紙（金×緑のリバーシブル）　15×15cm

クリスマスツリー

厚紙に松の柄の和紙をはって、中心にツリーをはりつける

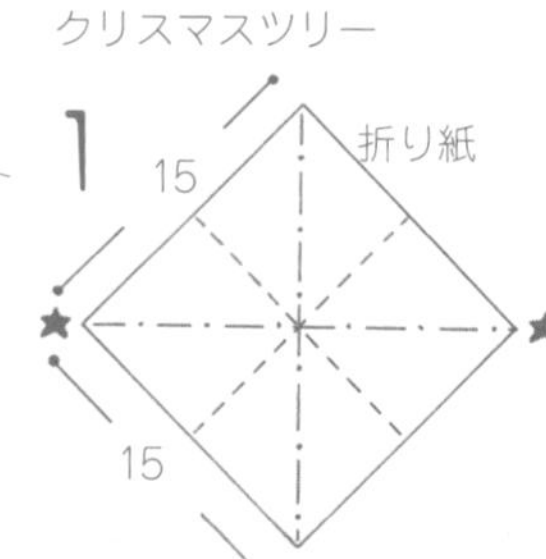

折り筋をつけ、★どうしを合わせて、四角折りのように折りたたむ

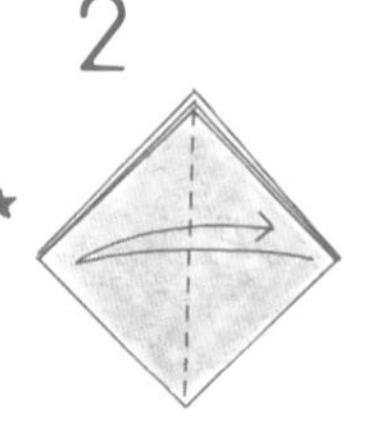

反対側も同様にする

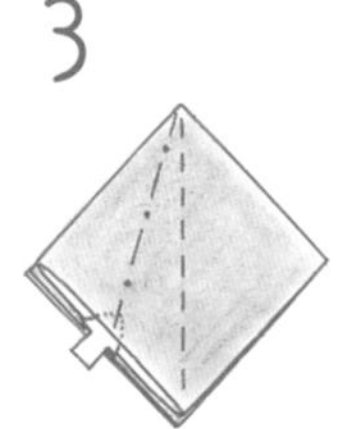

上下を逆に置き、開いて折りたたむ

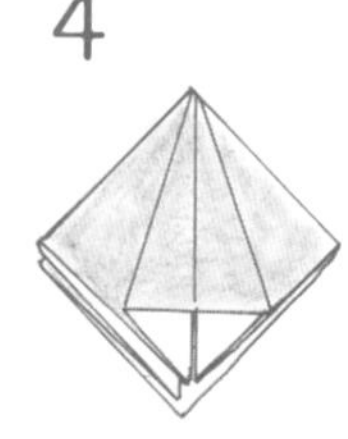

残りの３か所も同様に折る

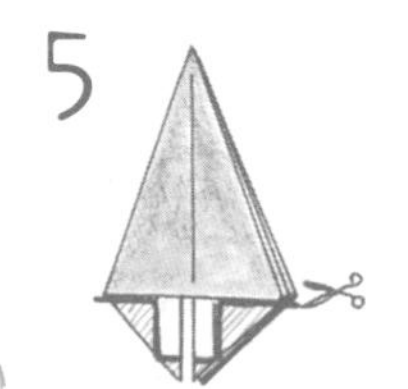

斜線の部分を切り取る

斜めに切込みを入れる

切込み部分を木の中央に向けて倒す

広げて形を整える

グリーティングカード…厚紙　23×30cm／トレーシングペーパー（黄　蝶）　3×3cm×2枚

ラッピングペーパー　11.5×15cm×3枚／ミラーコート紙　11.5×15cm

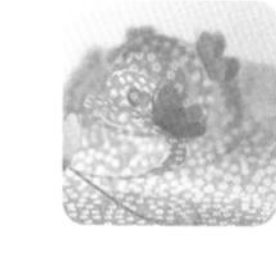

蝶

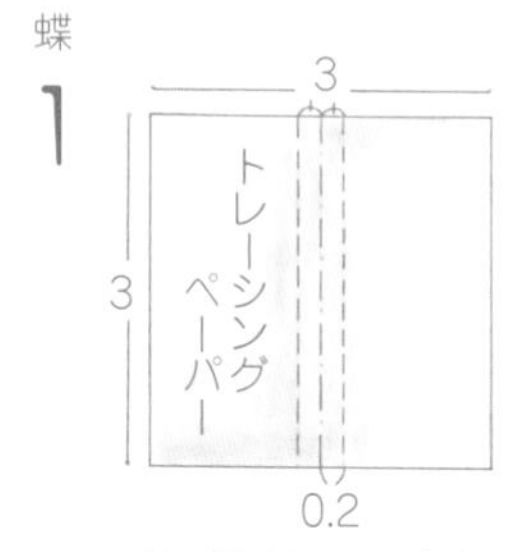

折り線どおりにたたむ

蝶の形に切り取る

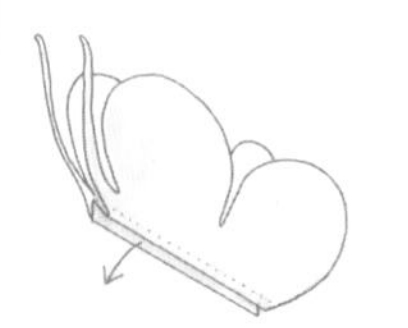

渦巻きに蝶をつける

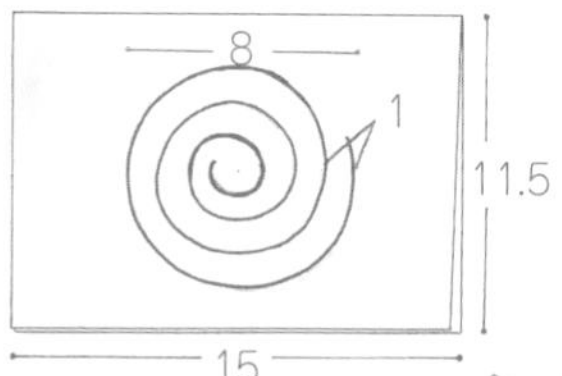

２枚のラッピングペーパーを外表にはり合わせ、渦巻き状に切込みを入れる

ミラーコート紙

渦巻きの中心をはりつける

2

厚紙を二つに折り、内側の半分にミラーコート紙をはる。もう半分にラッピングペーパーをはり、その上に１を、渦巻き部分を除いてのりづけする

ウェディングカード…厚手トレーシングペーパー　25.6×12.8cm／和紙（ブルー）24×24cm／色紙　適宜

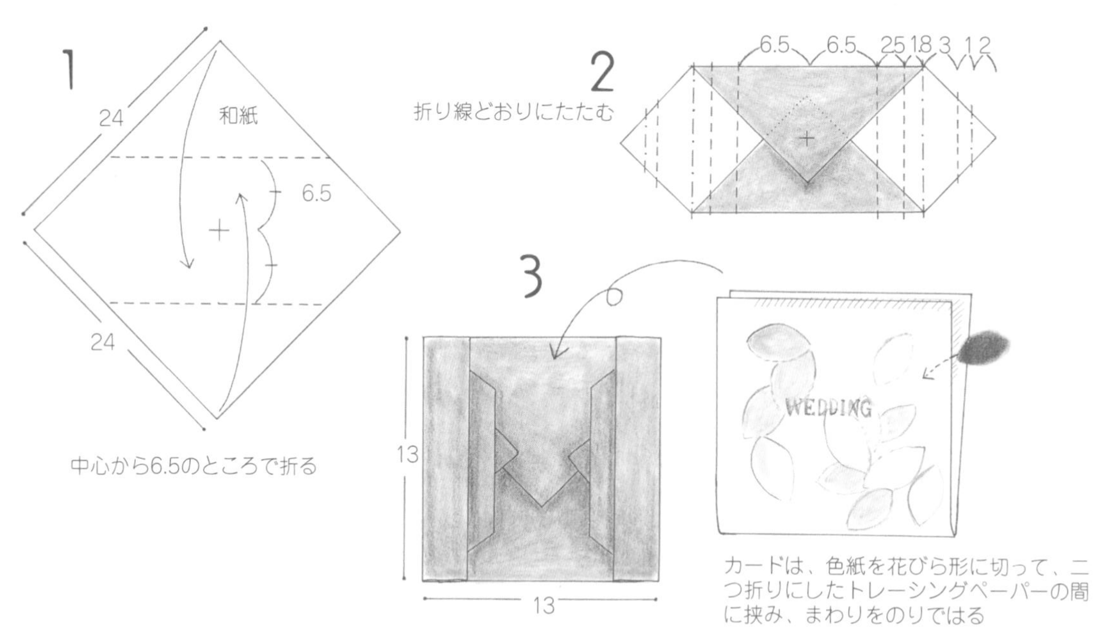

中心から6.5のところで折る

カードは、色紙を花びら形に切って、二つ折りにしたトレーシングペーパーの間に挟み、まわりをのりではる

バースデーカード…ラッピングペーパー　15.5×21cm／厚紙　15.5×21cm
メッシュの折り紙　15.5×10.5cm／折り紙　適宜

折り線どおりに折る

厚紙にメッシュの折り紙をはり、中に折り紙のプレゼントボックスを入れる。厚紙の外側にはプレゼント柄のラッピングペーパーをはる

壁紙　30×52cm（A５判の本用）
ラッピングペーパー　30×52cm（A５判の本用）
和紙　21.8×37cm（文庫本用）
図の（　）内は文庫本用のサイズ

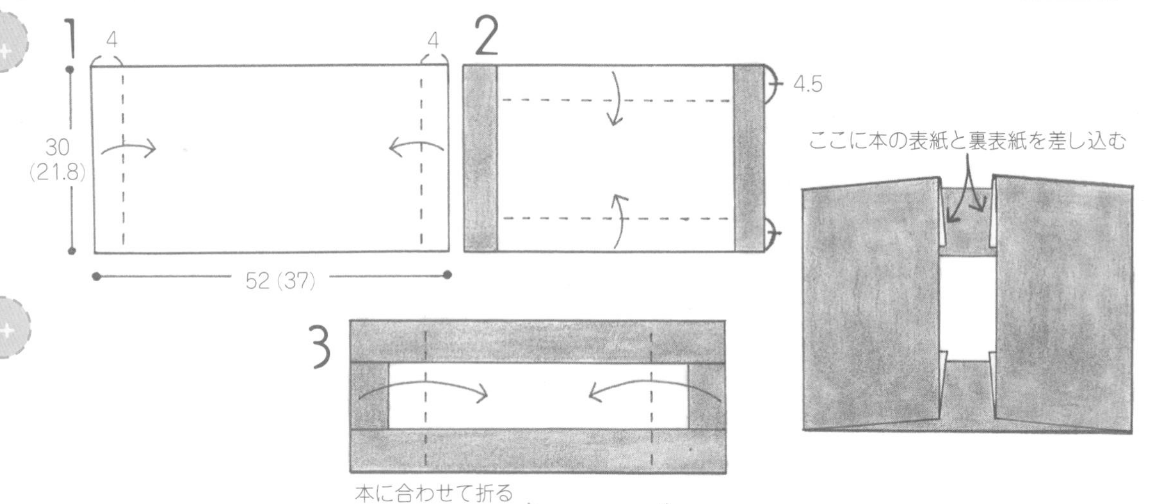

カードファイル
page14

はがき用…洋紙（しっかりしたもの）　仕切りは15×154cm、側面は12×28cm×２枚、外側は18×26.5cm／別紙18×26.5cm
名刺用…洋紙　仕切りは11×98cm、側面は8×28cm×２枚、外側は13×18cm／別紙13×18cm
図の（　）内は名刺用のサイズ

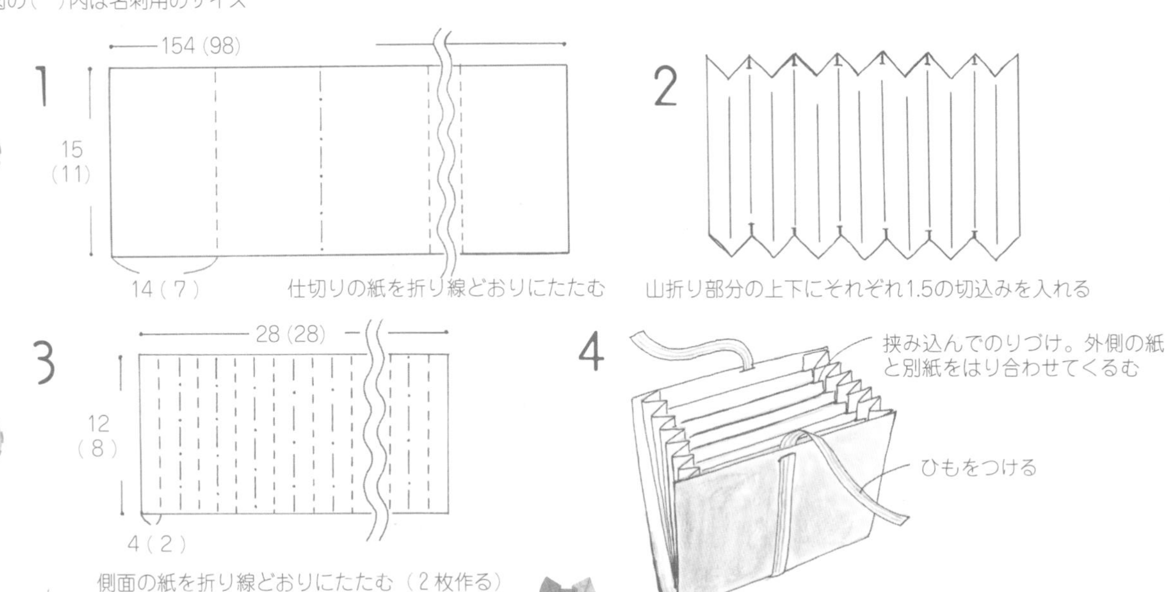

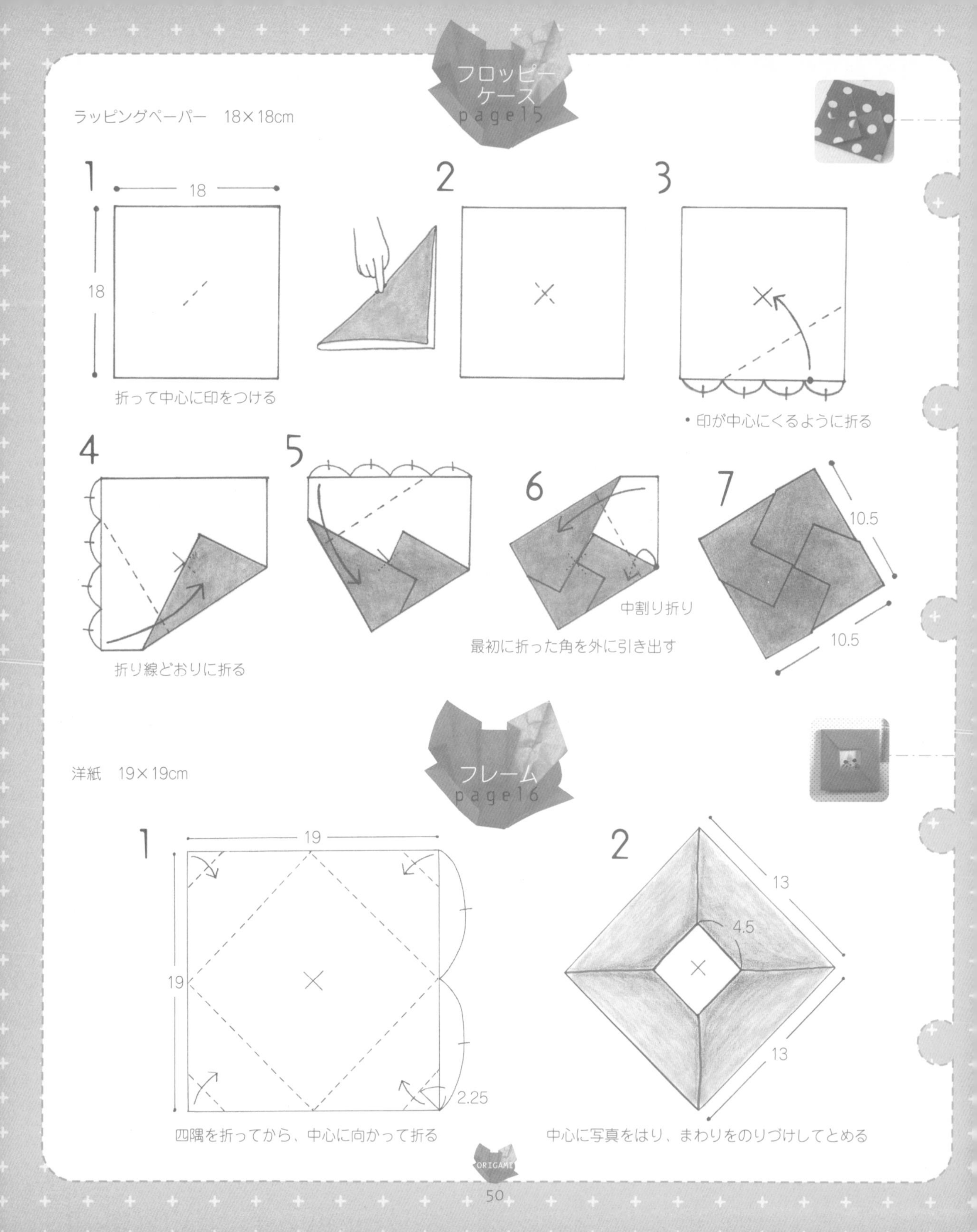
フロッピーケース
page15
ラッピングペーパー　18×18cm
1
18
18
折って中心に印をつける
2
3
・印が中心にくるように折る
4
折り線どおりに折る
5
6
中割り折り
最初に折った角を外に引き出す
7
10.5
10.5
フレーム
page16
洋紙　19×19cm
1
19
19
2.25
四隅を折ってから、中心に向かって折る
2
13
4.5
13
中心に写真をはり、まわりをのりづけしてとめる
ORIGAMI

ラッピングペーパー　22×22cm（図では白地）
トレーシングペーパー（黄）　22×22cm

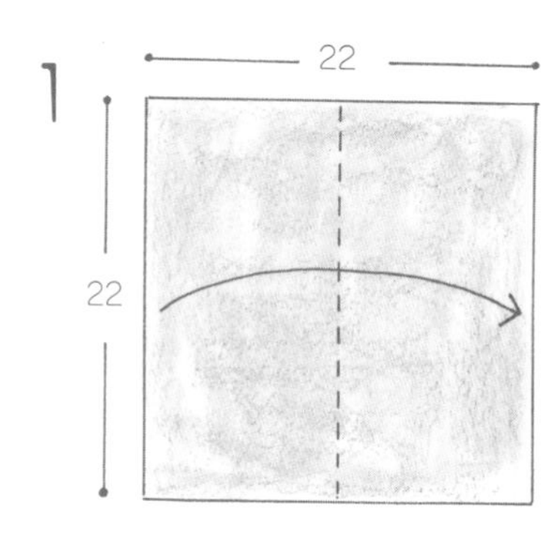

ラッピングペーパーとトレーシングペーパーを外表に合わせ、トレーシングペーパーを内側にして、半分に折る

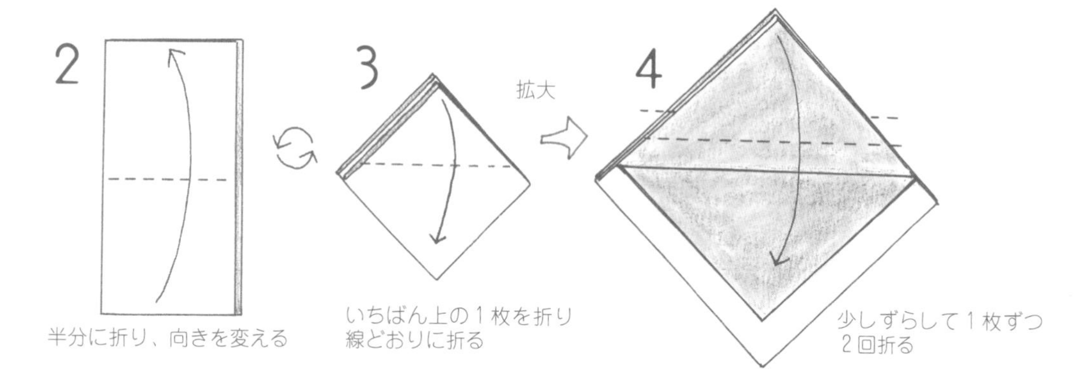

半分に折り、向きを変える

いちばん上の１枚を折り線どおりに折る

少しずらして１枚ずつ２回折る

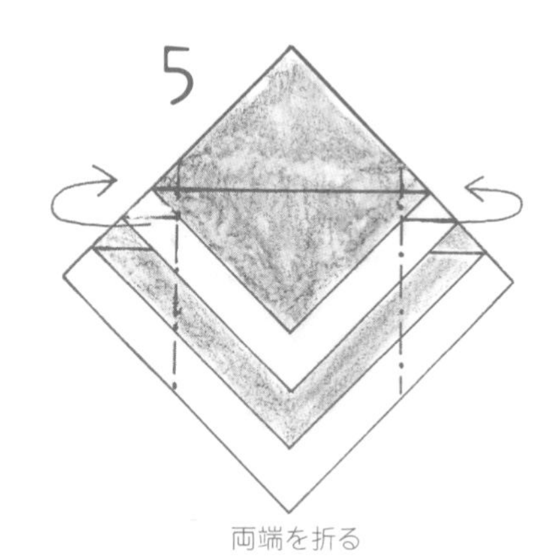

両端を折る

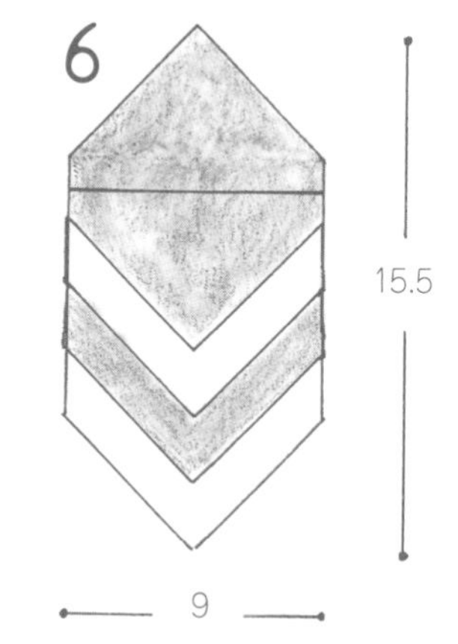

ランチボックス

page18

箱

ラッピングペーパー　40×40cm
トレーシングペーパー（黄）　40×40cm（図では白地）

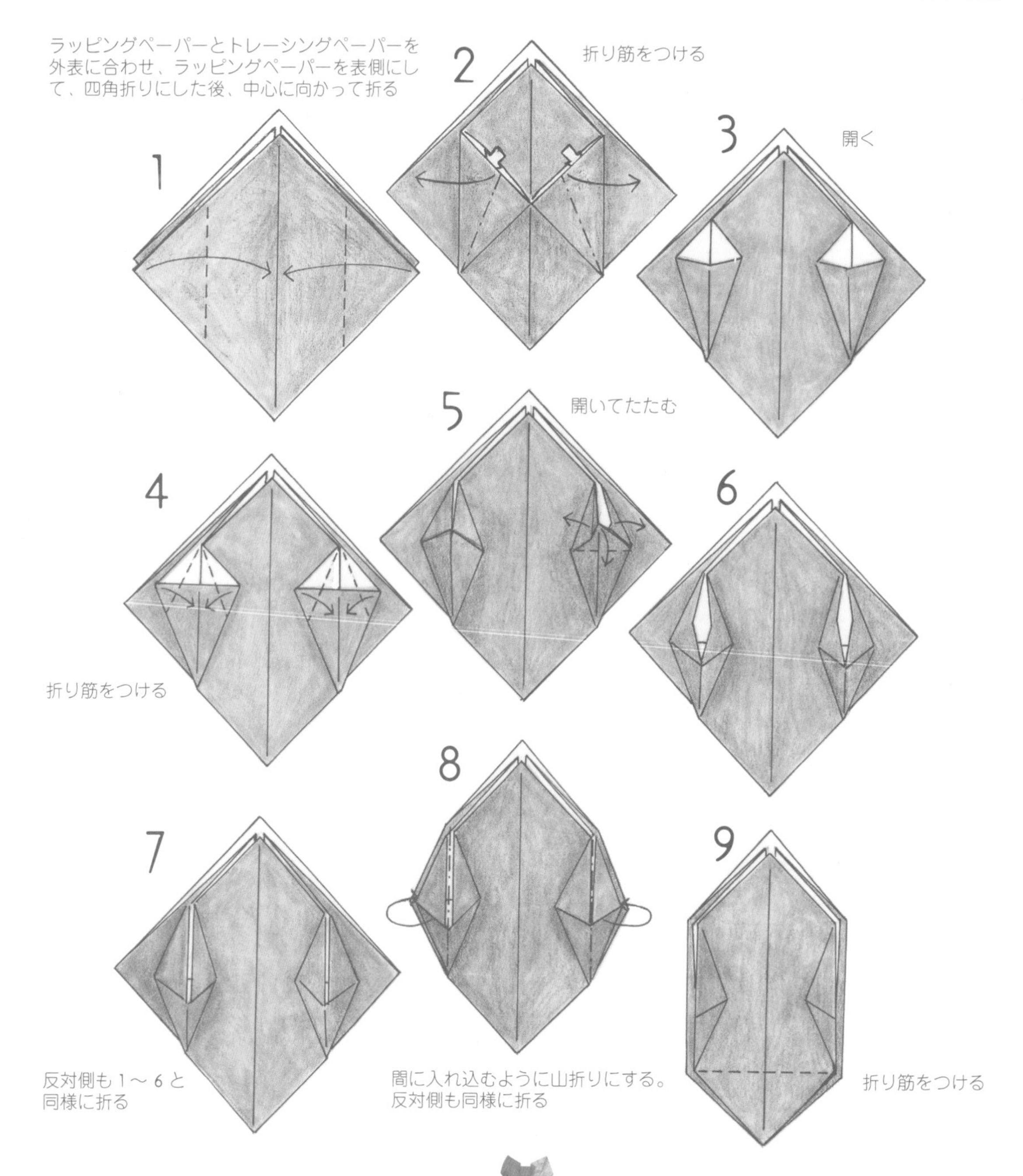

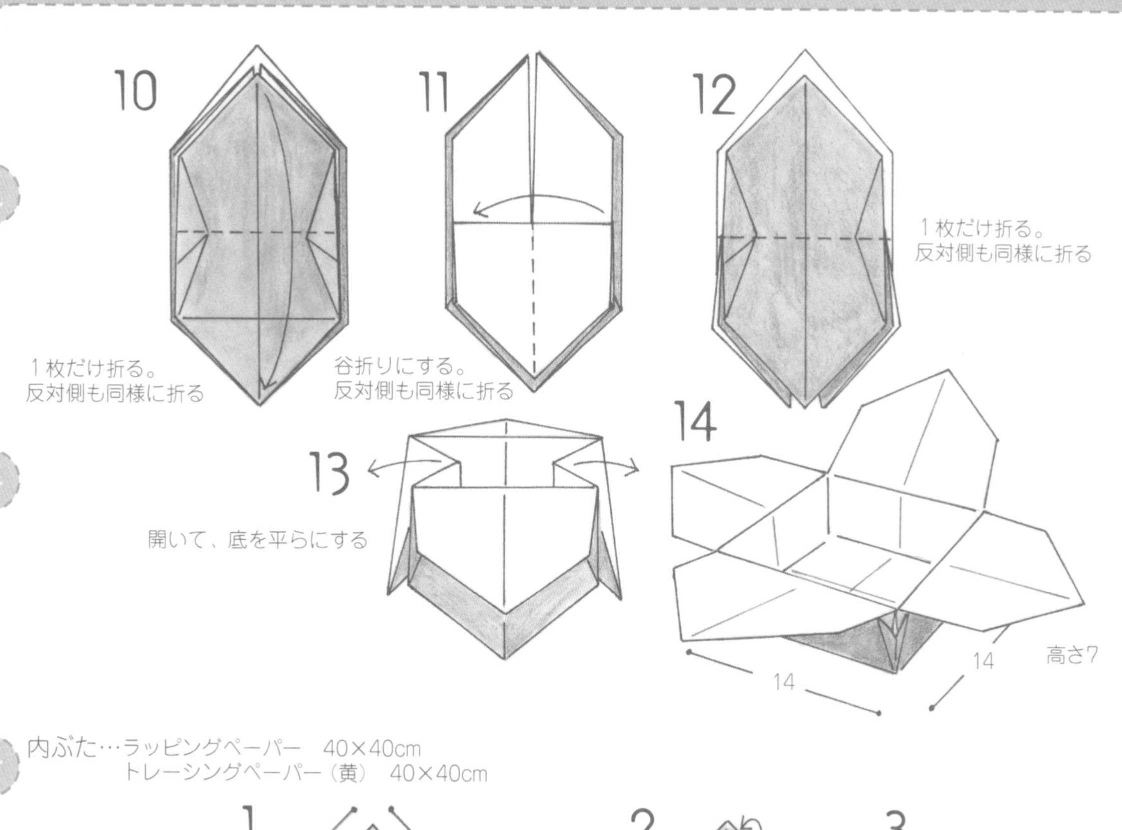

内ぶた…ラッピングペーパー　40×40cm
　　　　トレーシングペーパー（黄）　40×40cm

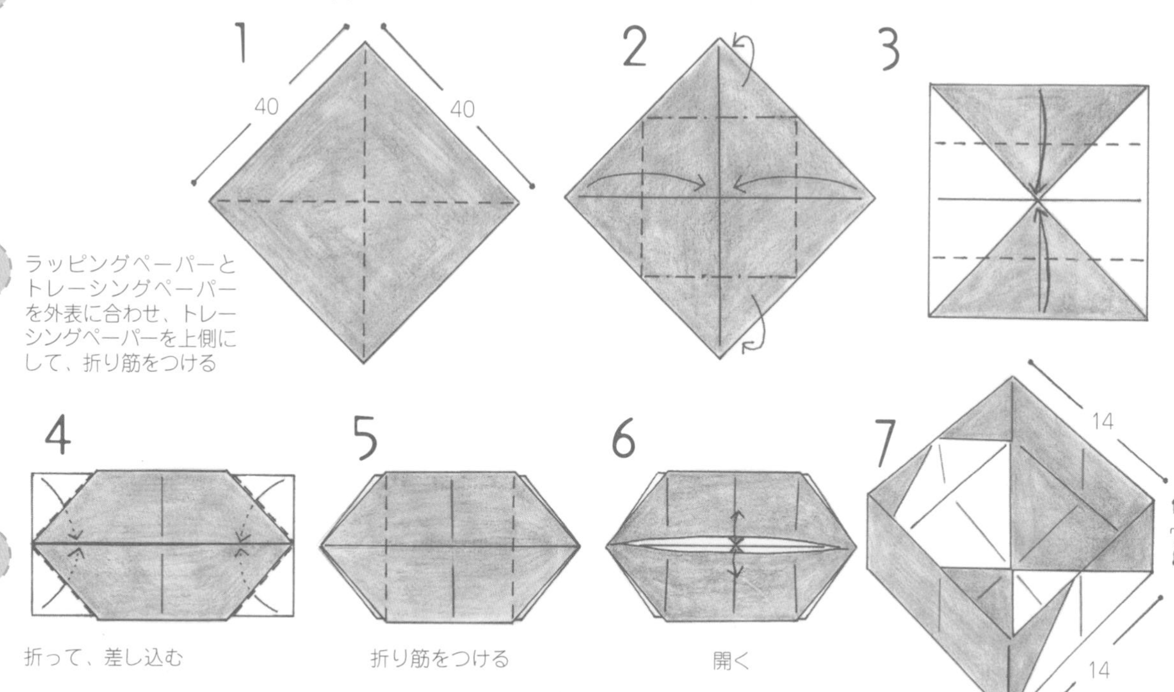

箱…洋紙　大は30×30cm　小は18×18cm

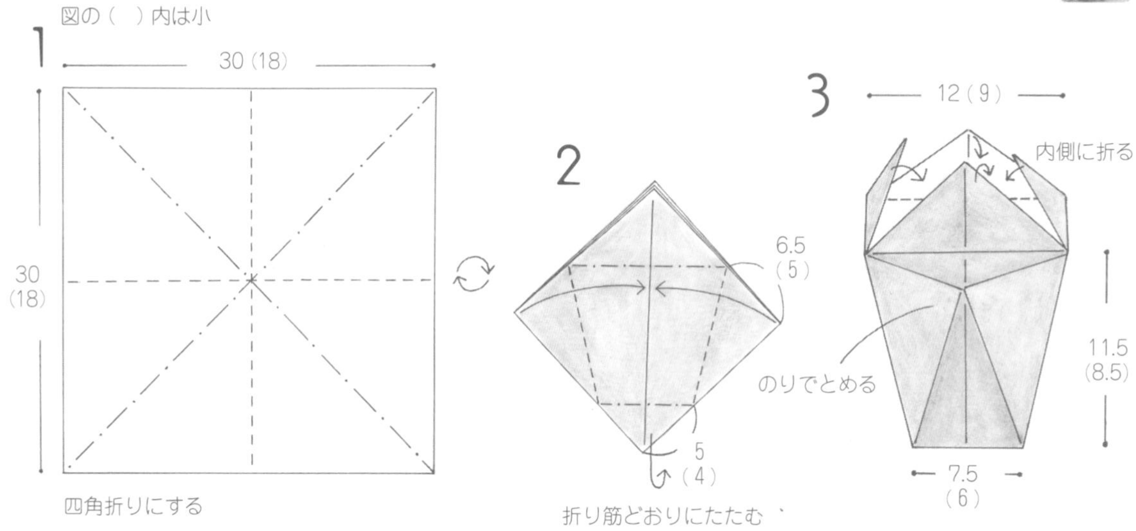

ふた…洋紙　大は23×23cm　小は14×14cm

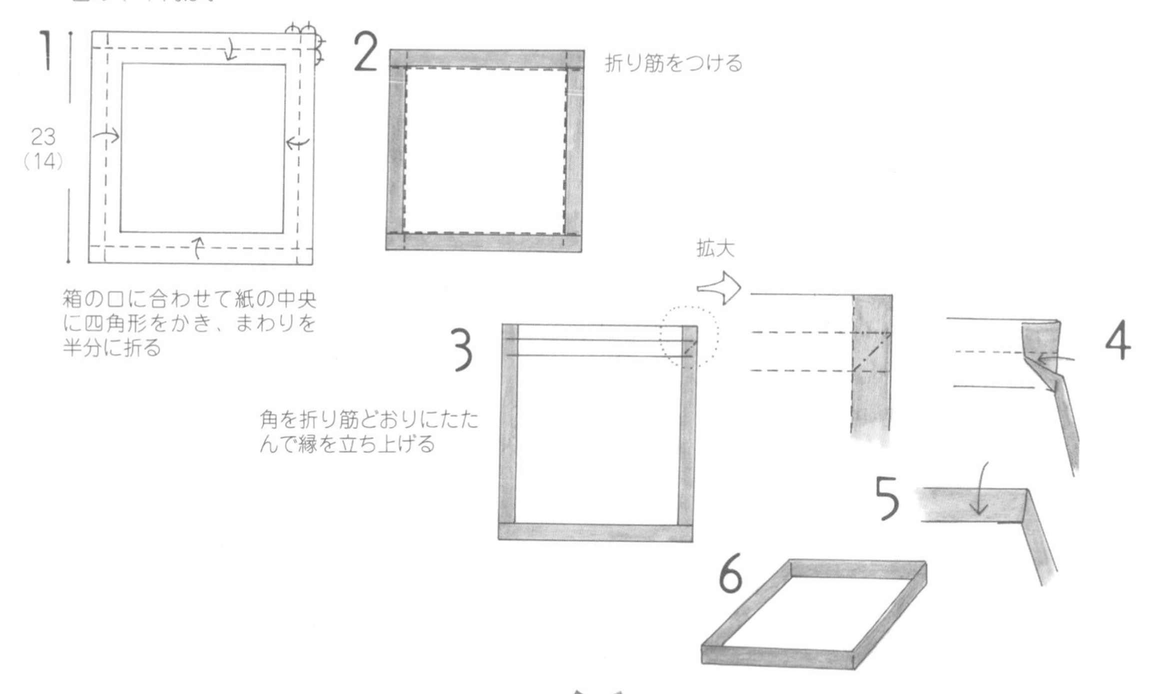

ケーキボックス

page20

洋紙　55×55cm

1

55

55

中心に印をつけてから、ざぶとん折りをして折り筋をつける

2

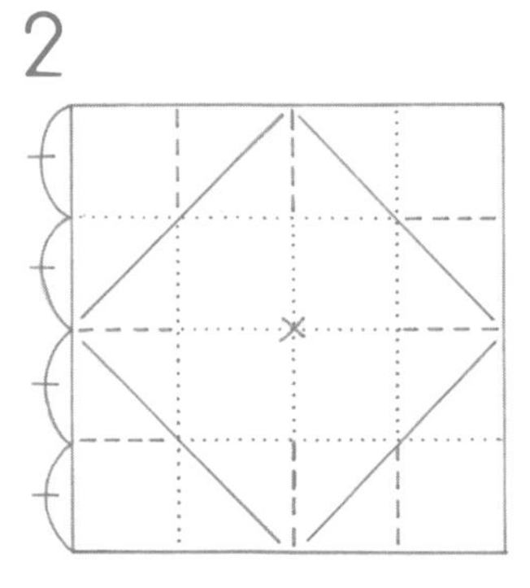

図のように部分的に折り筋をつける

3

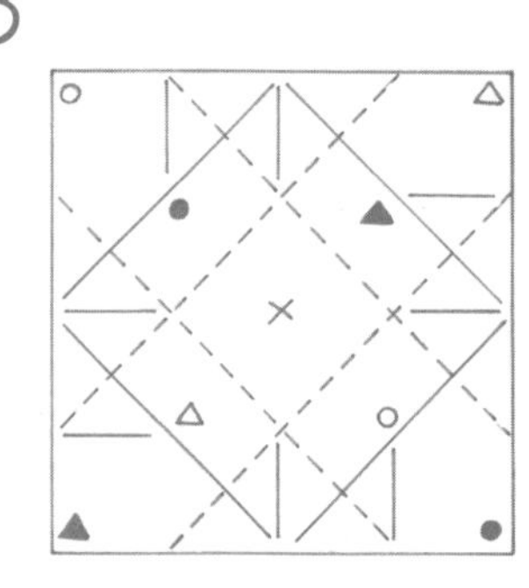

同じ印どうしを合わせて折り、折り筋をつける

4

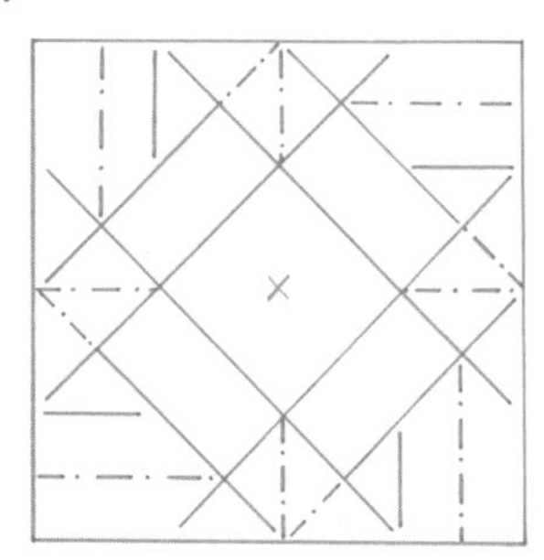

図のように折り筋をつける

5

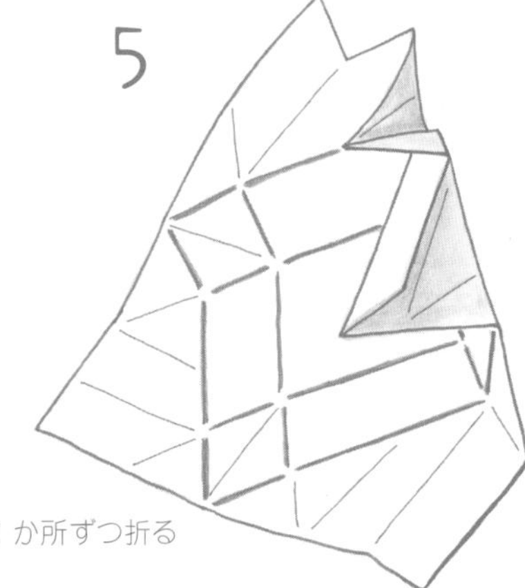

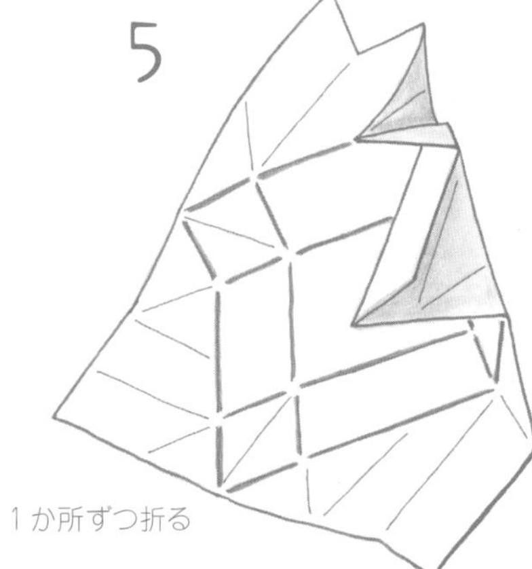

1か所ずつ折る

6

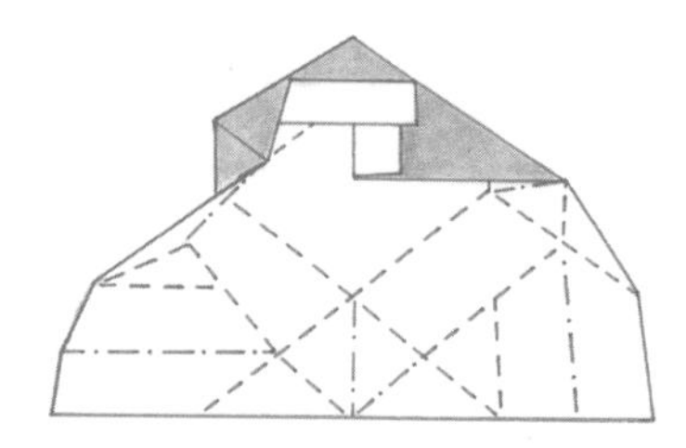

順に折っていく

7

19.5

9.8

19.5

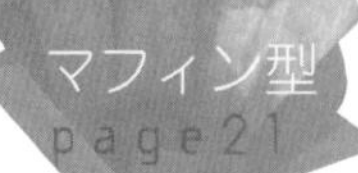

マフィン型

page21

ワックスペーパー　13×13cm

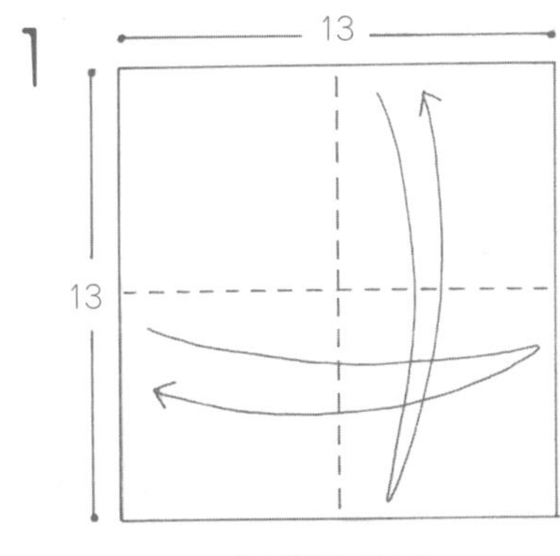

折り筋をつける

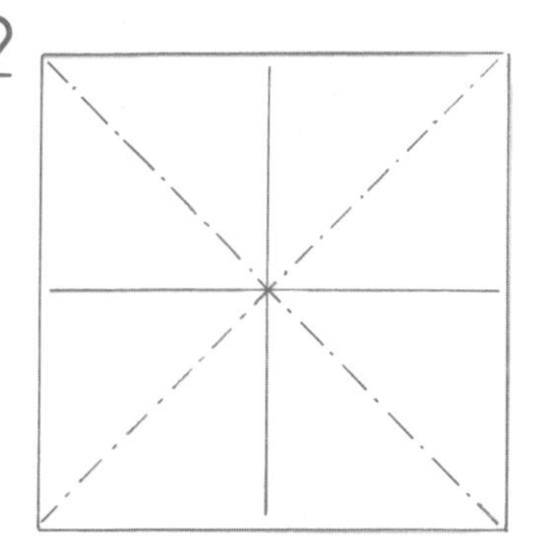

山折りの折り筋をつける

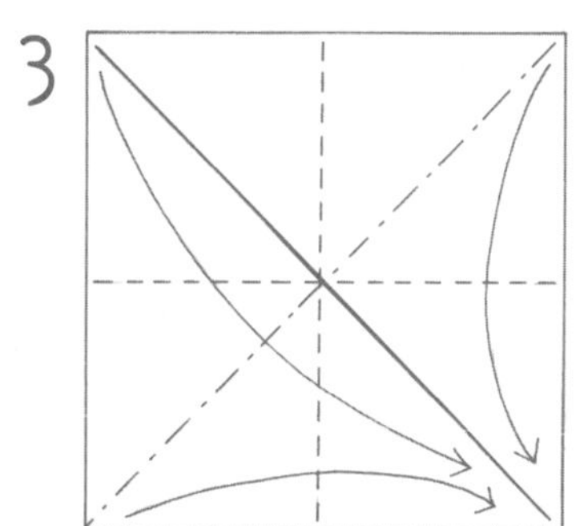

折り筋どおりにたたむ

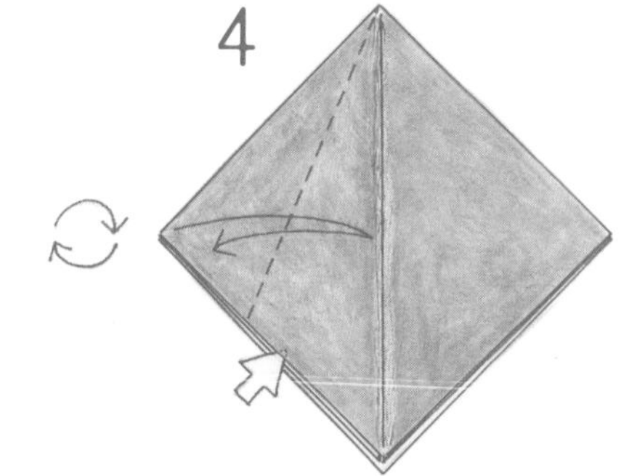

折り筋をつけ、開いてたたむ

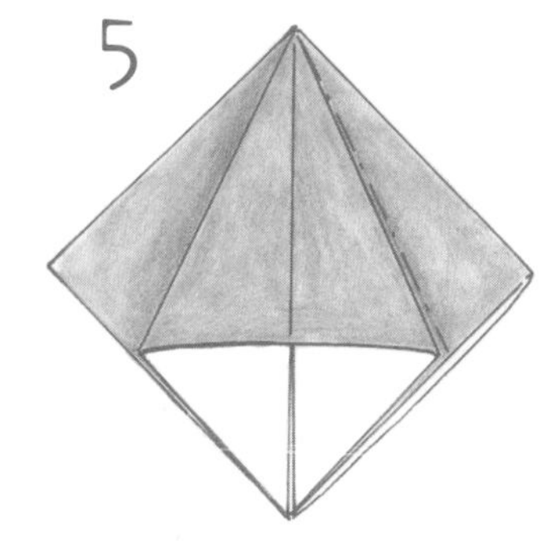

ほかの 3 か所も同じように開いてたたむ

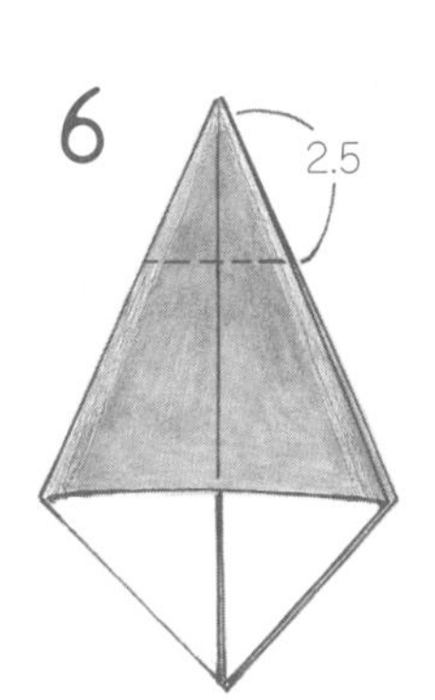

折り筋をつけ、広げる

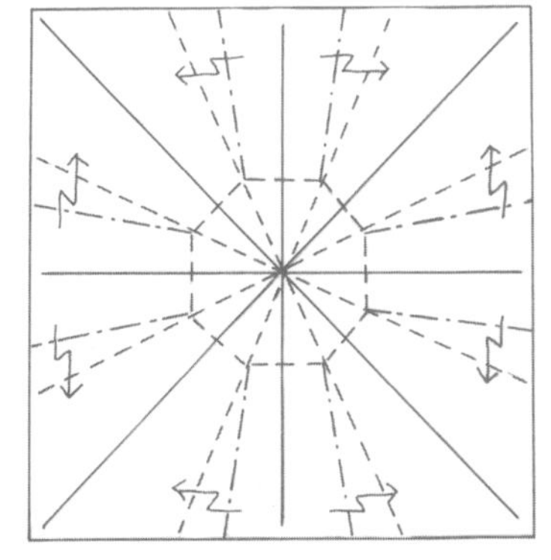

図の折り線どおりにたたんで立体にする

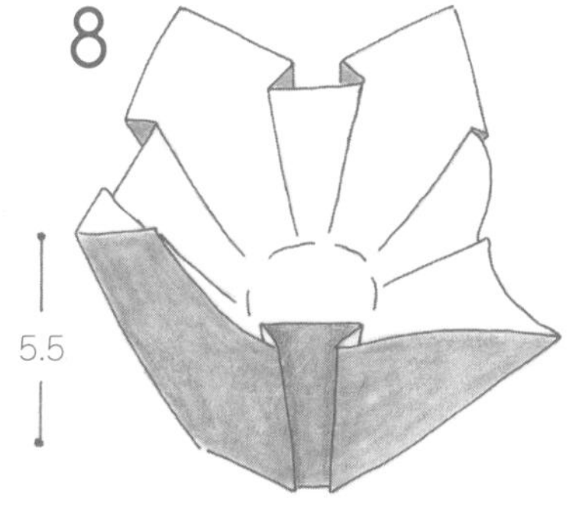

正方形の箱

page22

1

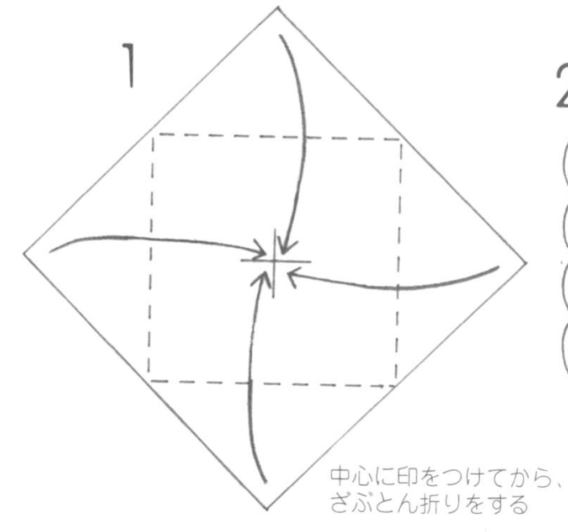

中心に印をつけてから、
ざぶとん折りをする

2

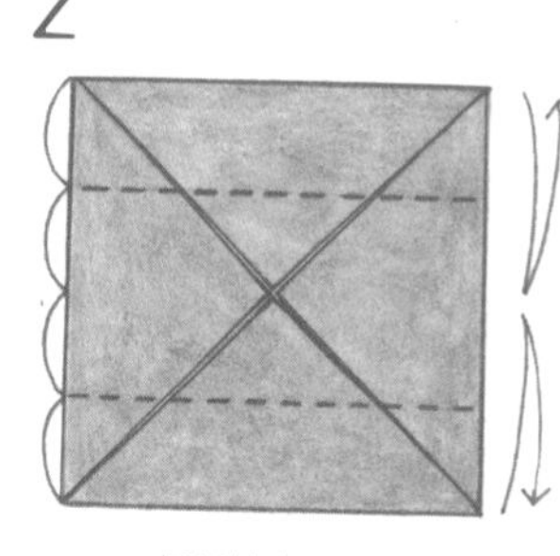

折り筋をつける

3

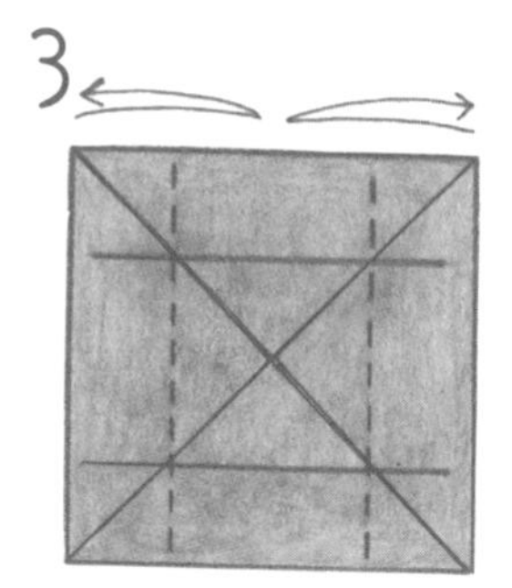

4

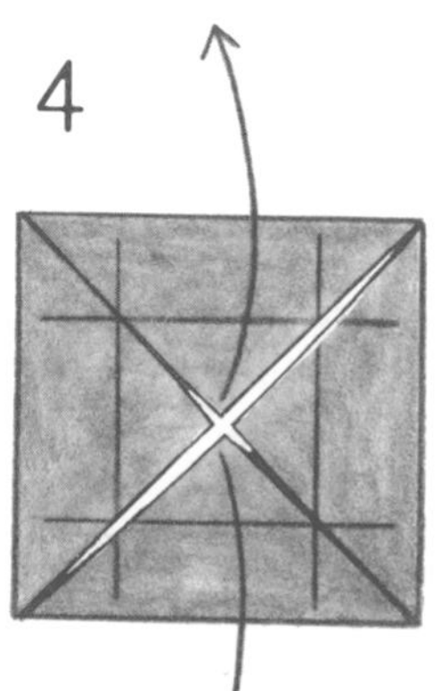

2か所を開く

5

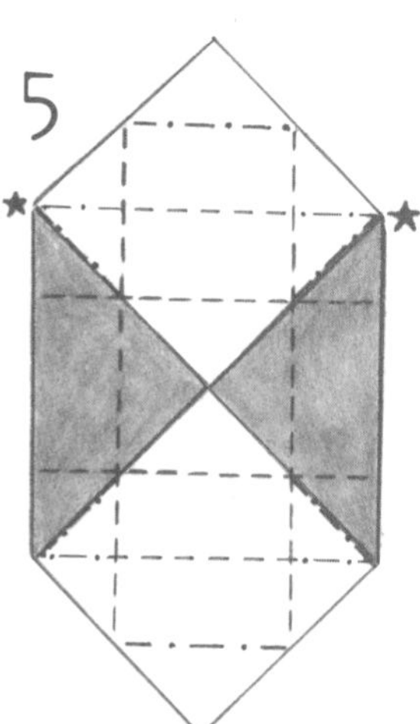

6

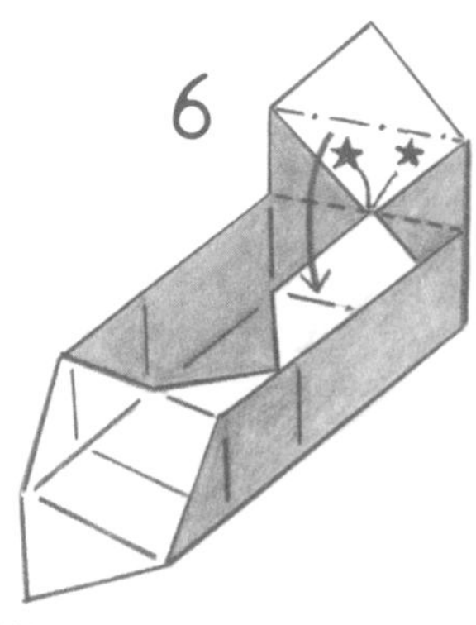

★どうしを合わせて折っていく

7

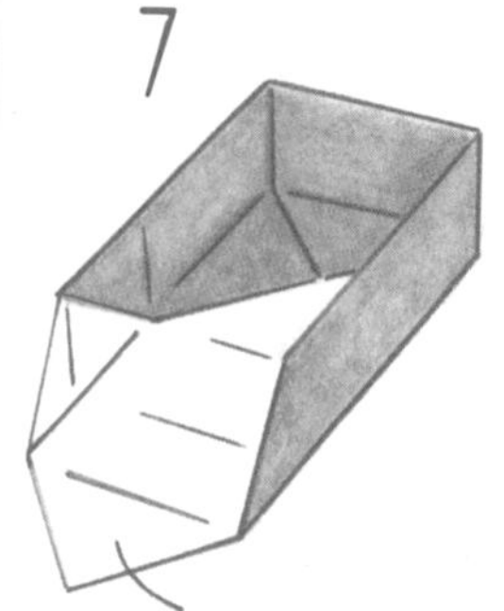

反対側と同様に折る

8

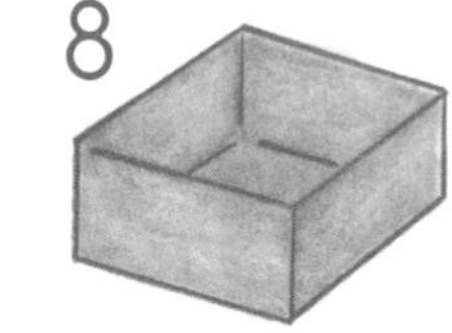

紙（洋紙）のサイズと箱とふたのでき上りサイズ

		赤	青	黄	水色	ピンク
ふた	紙のサイズ	15×15	20×20	25.5×25.5	31×31	37×37
	でき上り	5×5×2.5	7×7×3.5	9×9×4.5	11×11×5.5	13×13×6.5
箱	紙のサイズ	14.5×14.5	19.5×19.5	25×25	30×30	36×36
	でき上り	4.8×4.8×2.4	6.8×6.8×3.4	8.8×8.8×4.3	10.5×10.5×5.3	12.7×12.7×6.3

長方形の箱

箱…和紙　25×25cm

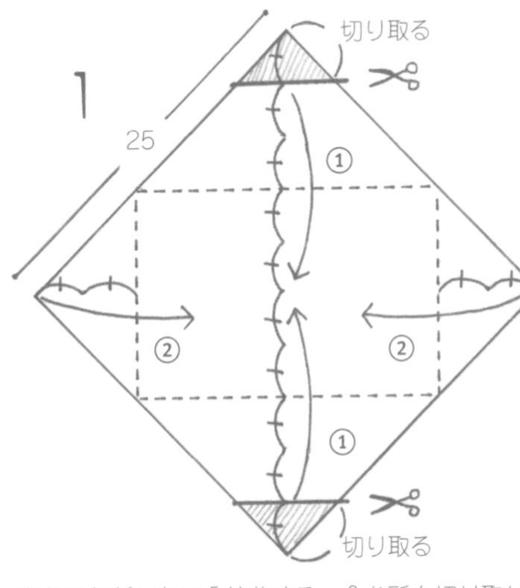

中心からだいたい5等分する。2か所を切り取り、ざぶとん折りのように折る。①②の順に折る

2

折り筋をつける

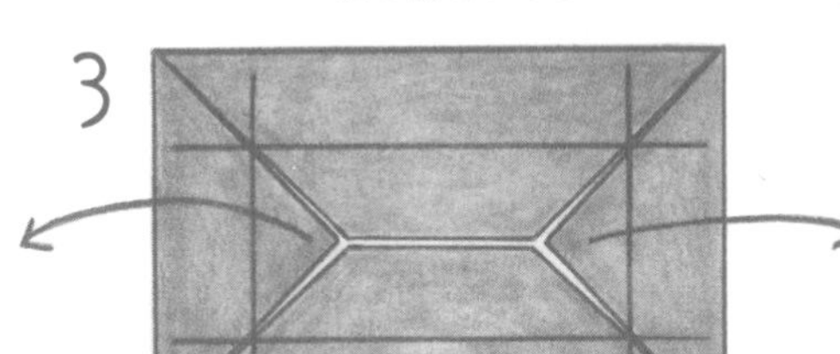

2か所を開く

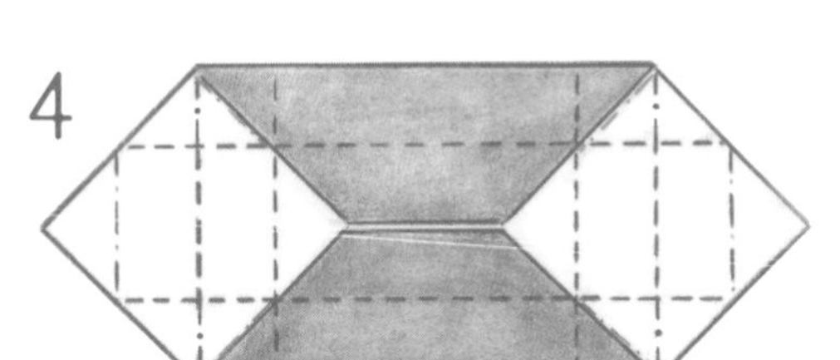

正方形の箱と同様に折る

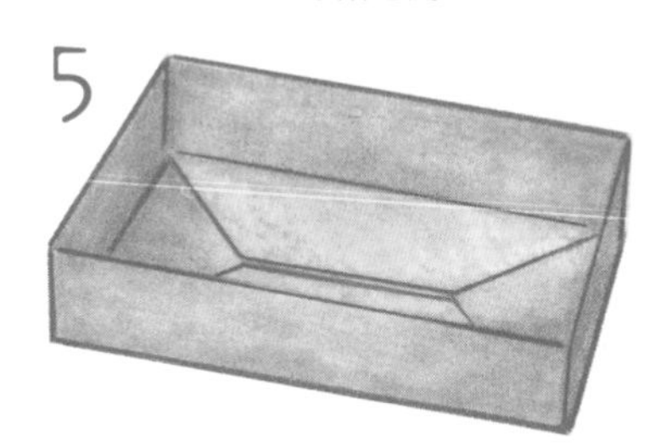

ふた…和紙　27×27cm

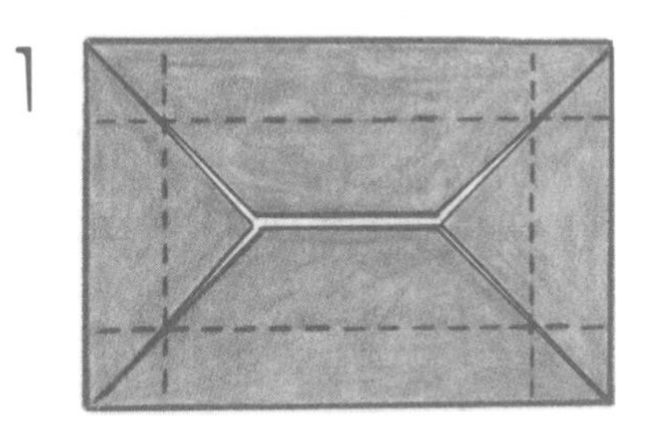

箱と同様に折る

2

ピラミッド形ボックス

page24

和紙　大は24×24cm　小は18×18cm
ひも　大は40cm×２本　小は35cm×２本
ビーズ

図の（　）内は小

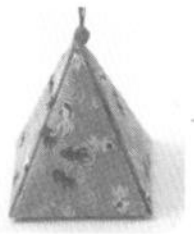

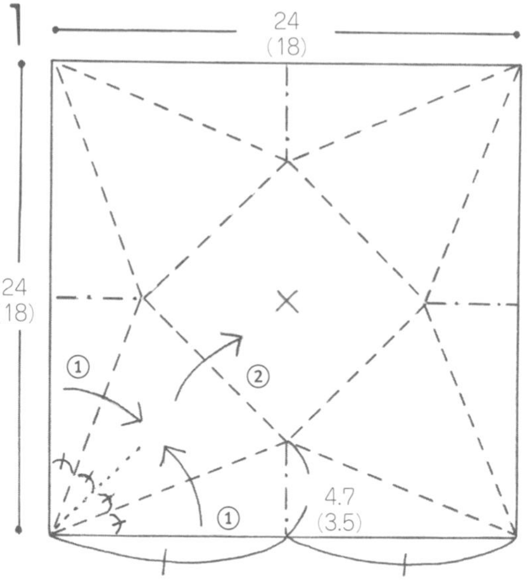

1

24 (18)

24 (18)

①

②

①

4.7 (3.5)

折り線どおりにたたむ

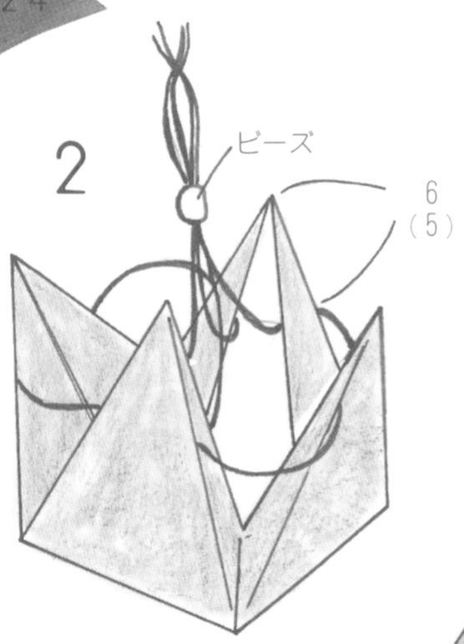

2

ビーズ

6 (5)

穴をあけ、ひもを通す

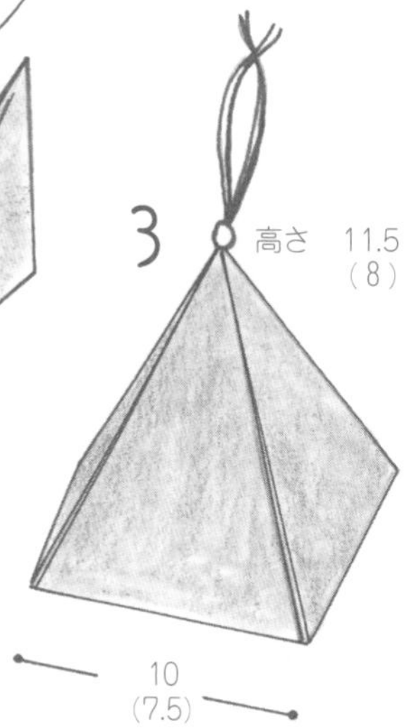

3

高さ　11.5 (8)

10 (7.5)

箸袋

page27

和紙、ラッピングペーパーなど　13.5×18cn

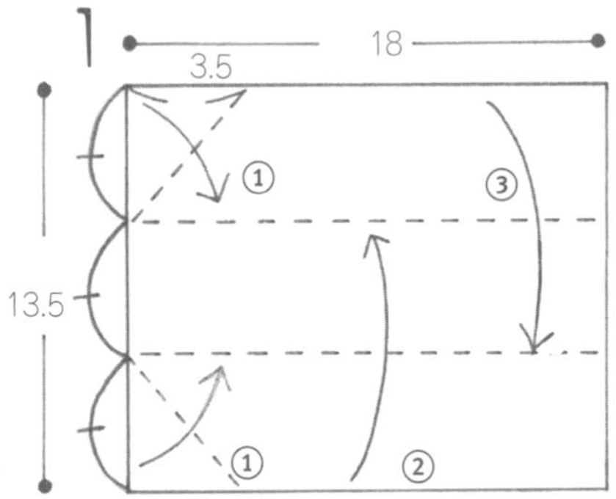

1

18

3.5

13.5

①

③

①

②

番号順に折る

2

3

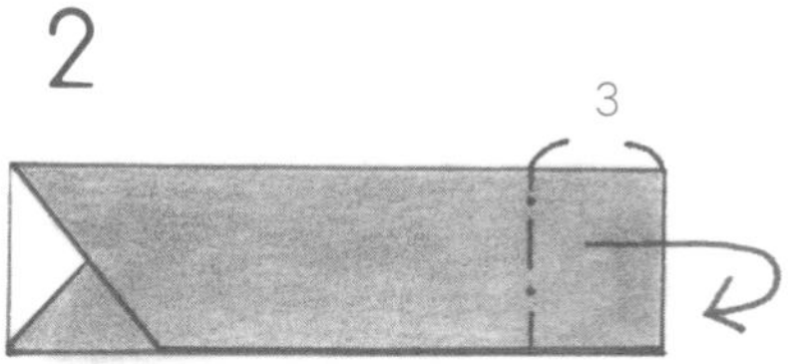

折り線どおりに裏側に折る

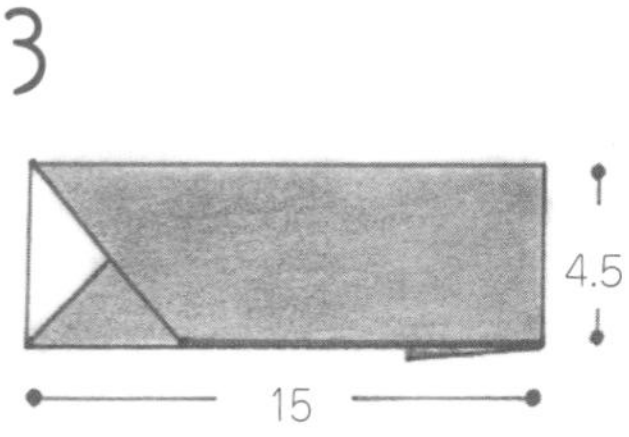

3

4.5

15

三角の小箱

page26

トレーシングペーパーや洋紙など　50×17.5cm

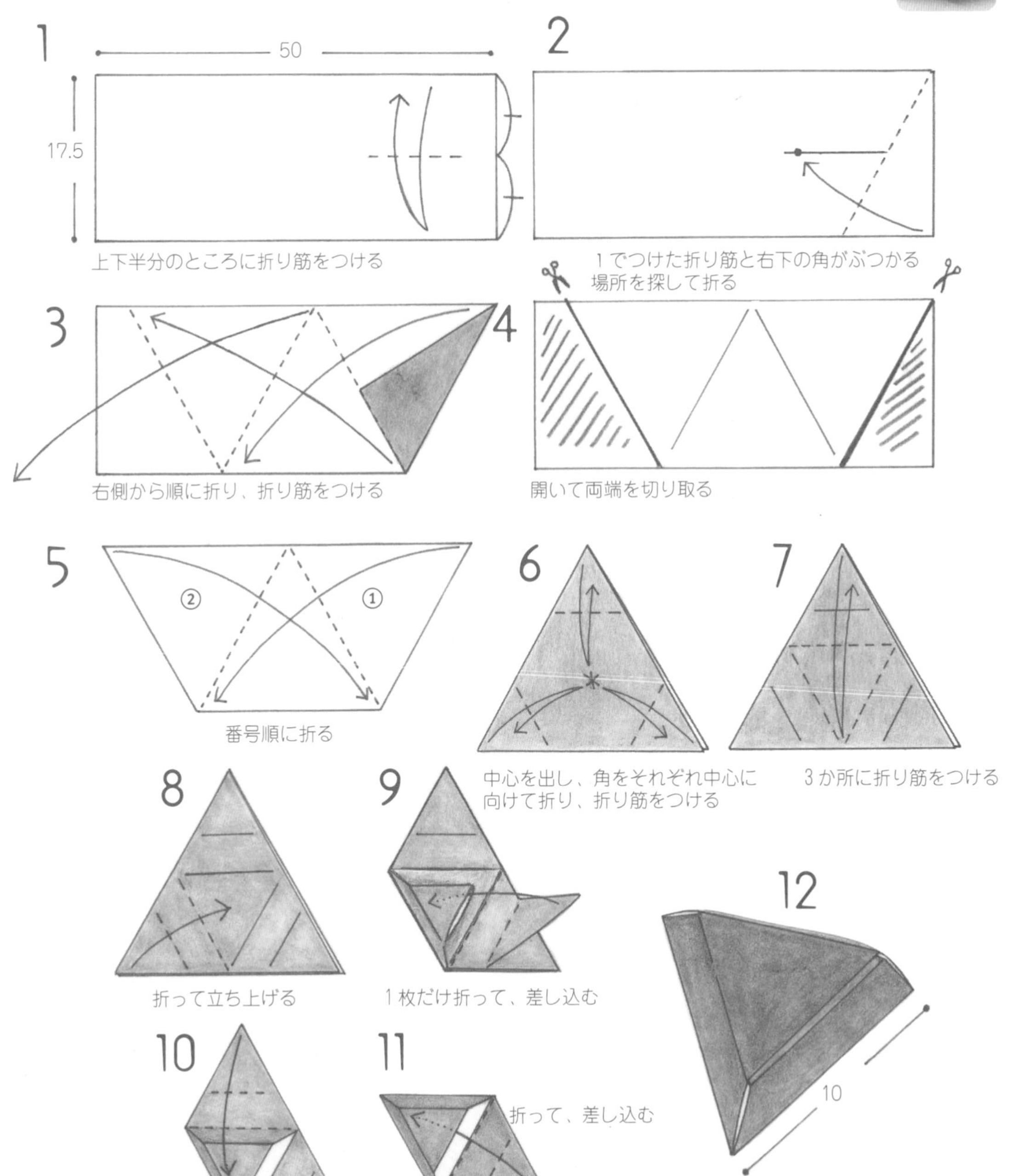

折り紙（銀×緑のリバーシブル）24×24cm

p.47のカードのツリーと同様にツリーを折り、先端を3枚と5枚に分ける

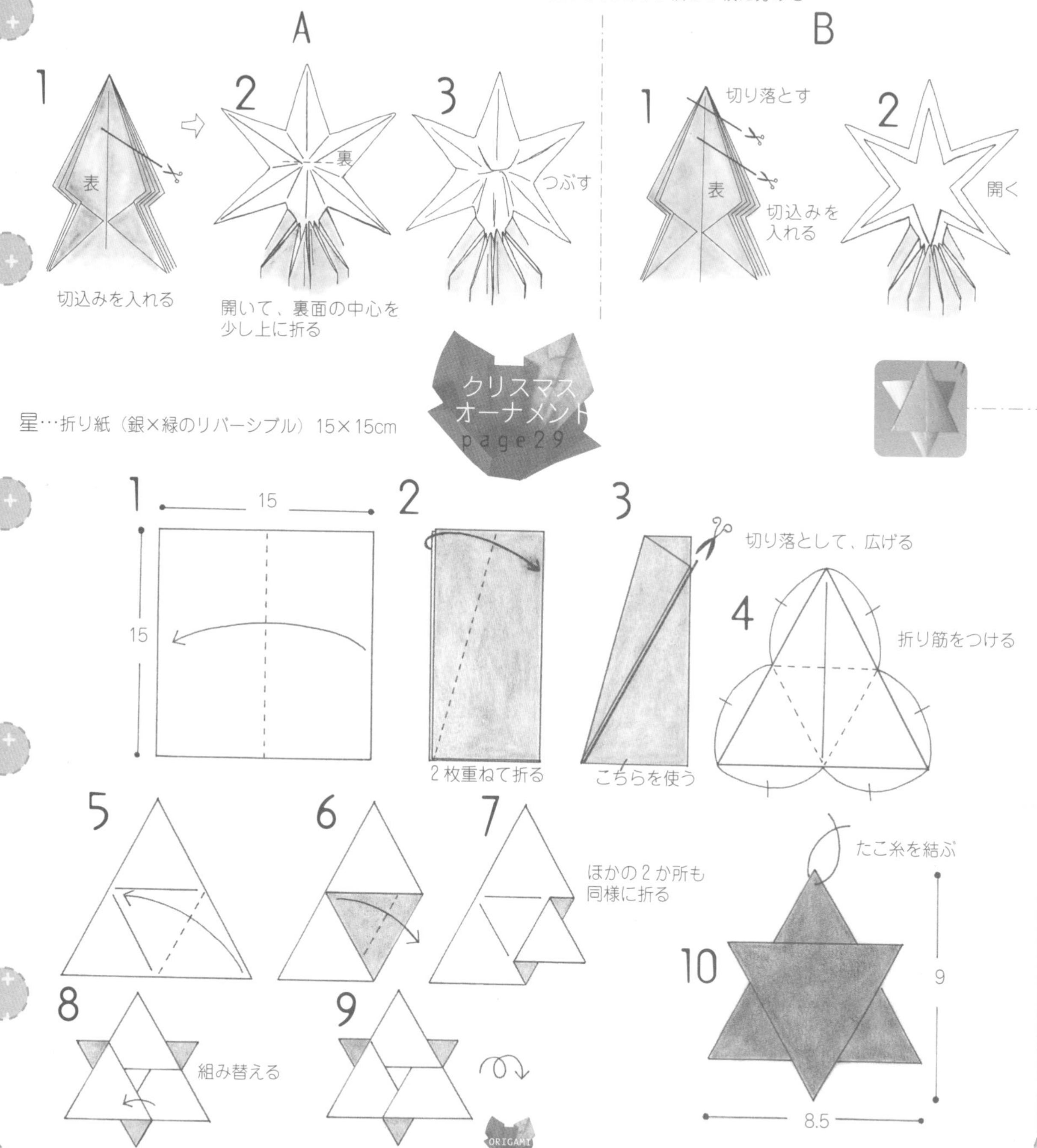

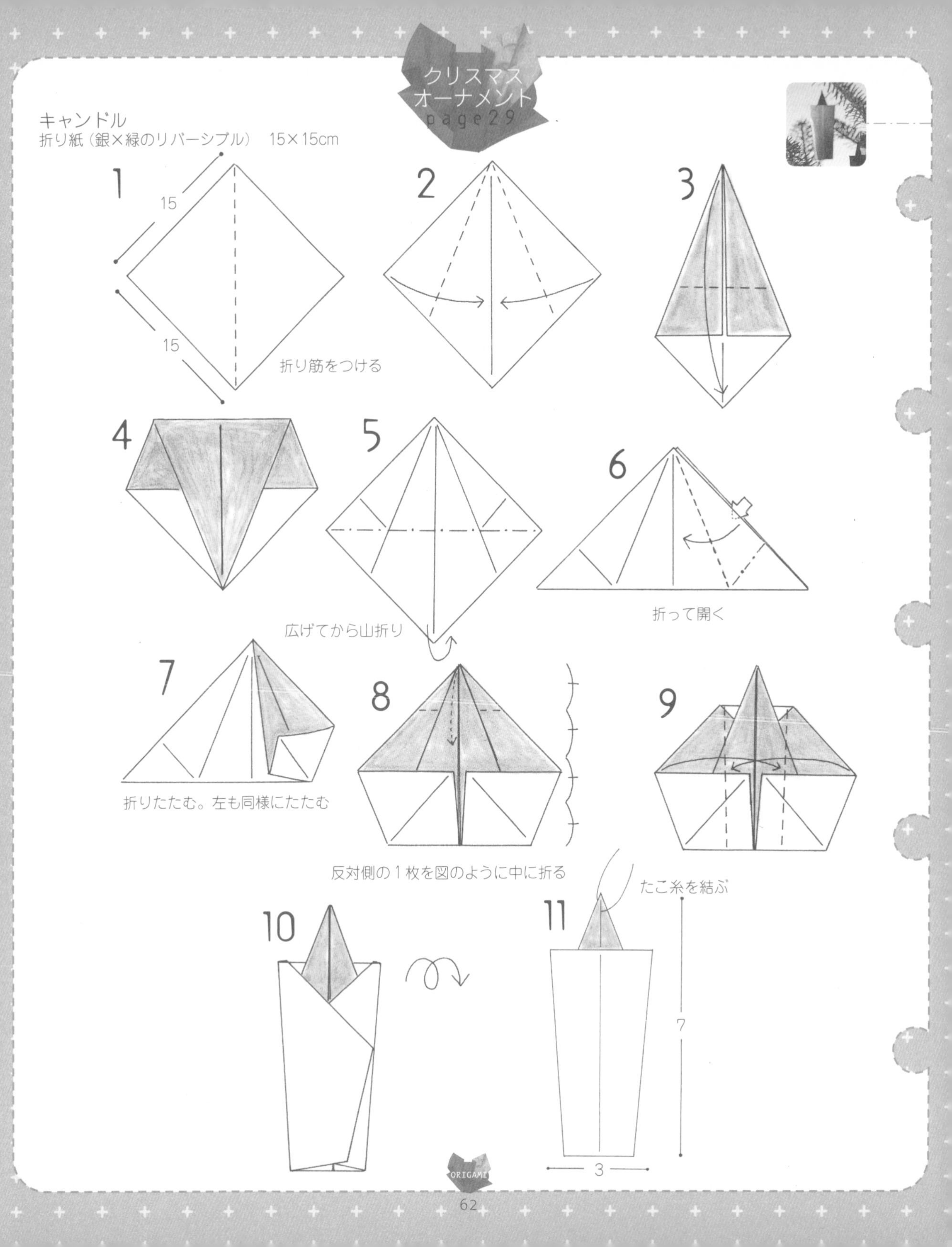
クリスマスオーナメント
page29
キャンドル
折り紙（銀×緑のリバーシブル）　15×15cm
1
15
15
折り筋をつける
2
3
4
5
広げてから山折り
6
折って開く
7
折りたたむ。左も同様にたたむ
8
9
反対側の１枚を図のように中に折る
10
11
たこ糸を結ぶ
7
3
ORIGAMI

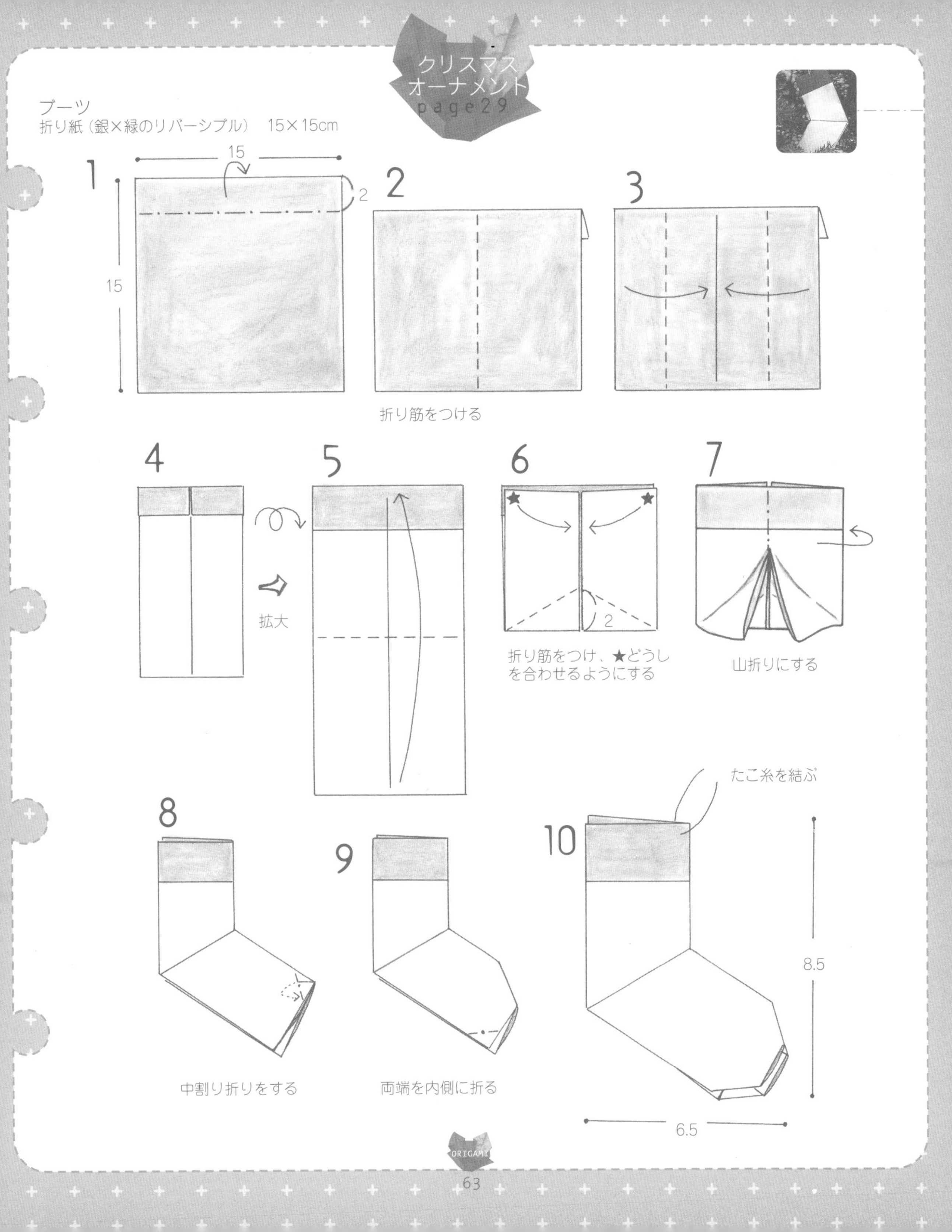
クリスマスオーナメント
page29
ブーツ
折り紙（銀×緑のリバーシブル）　15×15cm
1
15
2
15
2
3
折り筋をつける
4
拡大
5
6
2
折り筋をつけ、★どうしを合わせるようにする
7
山折りにする
8
中割り折りをする
9
両端を内側に折る
10
たこ糸を結ぶ
8.5
6.5
ORIGAMI

御幣…和紙（白）　12×18cm×2枚

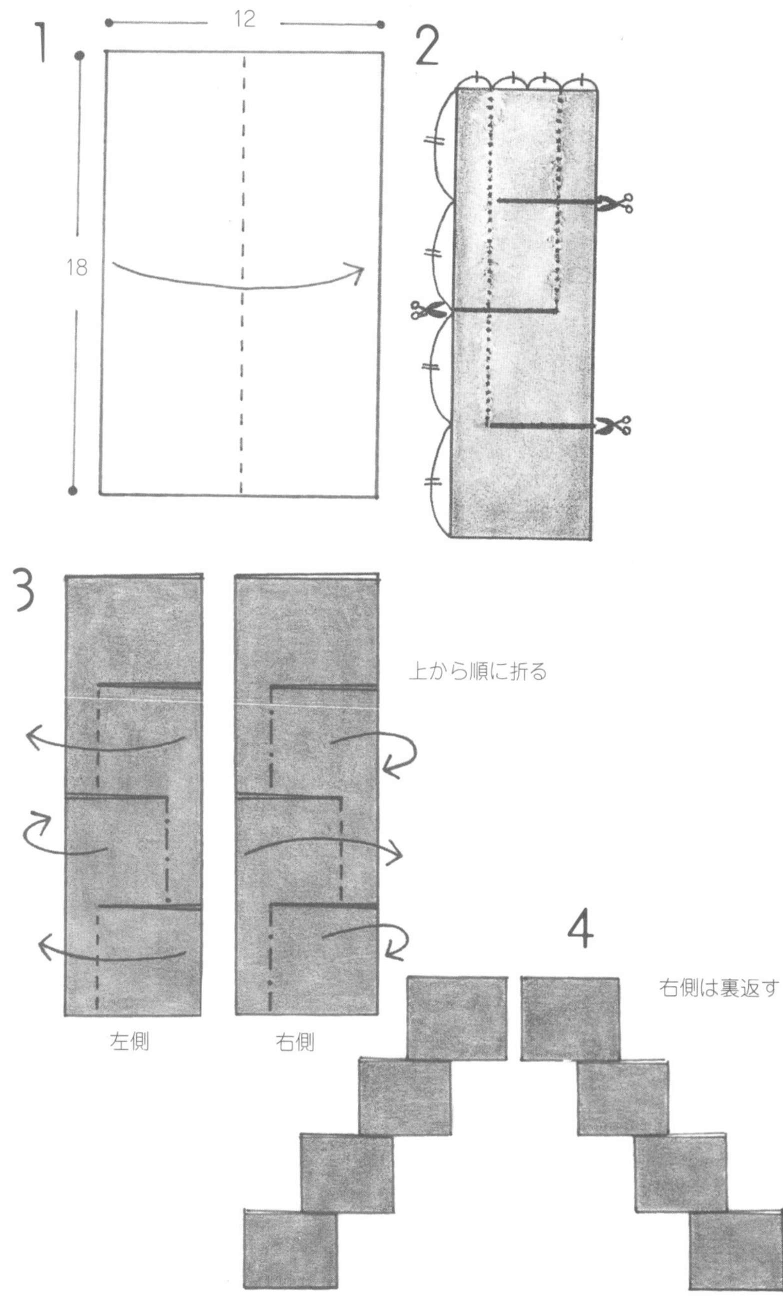

えび…和紙　20×20cm
（お年玉袋用は５×５cm）

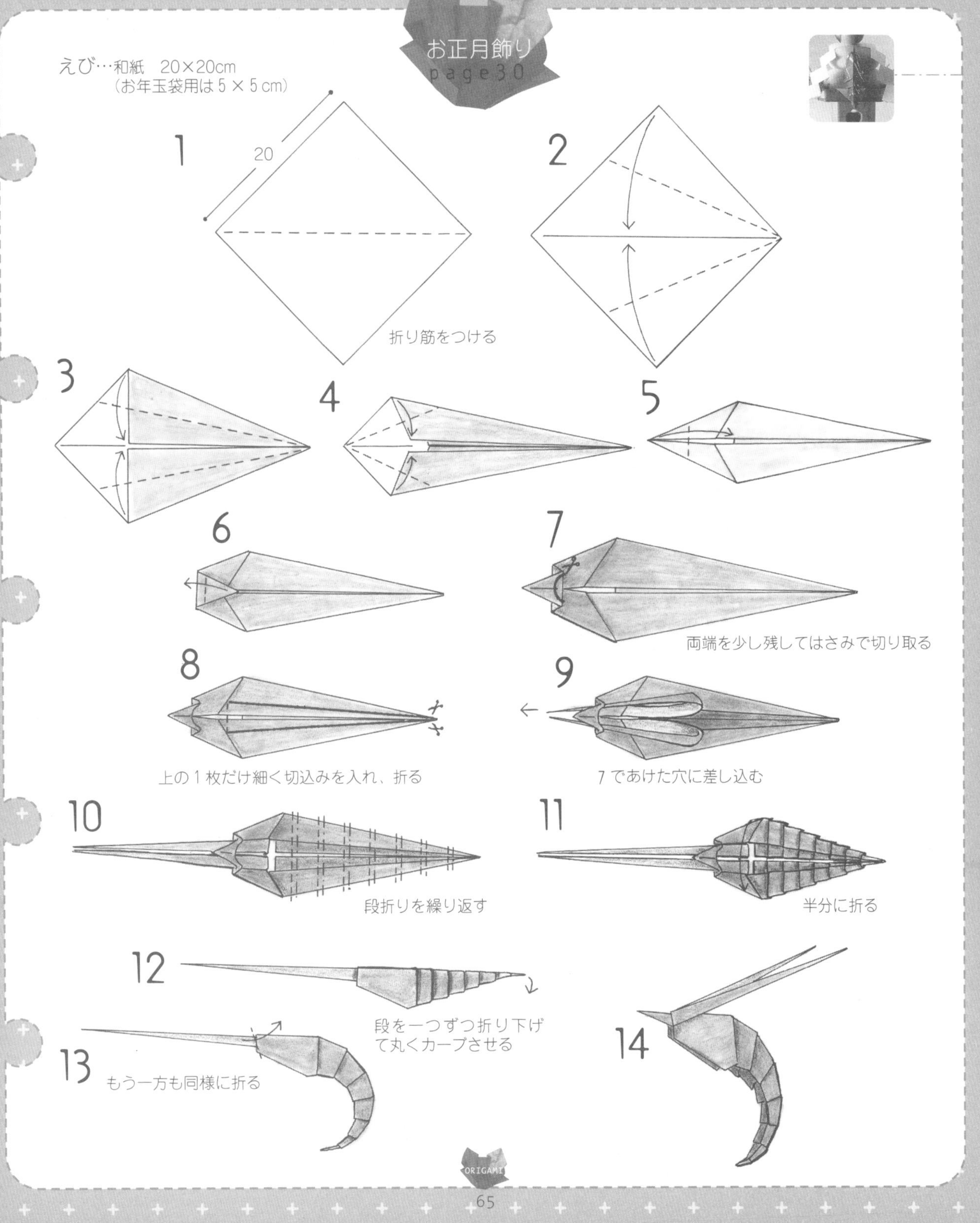

お祝いの箸袋
page31

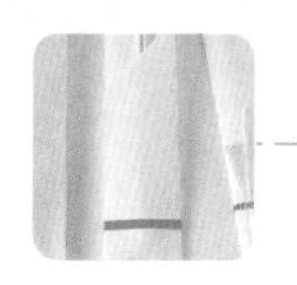

箸袋 1…和紙（白）　26.5×19.5cm
折り紙（金×赤のリバーシブル）　0.8×18cm（帯）

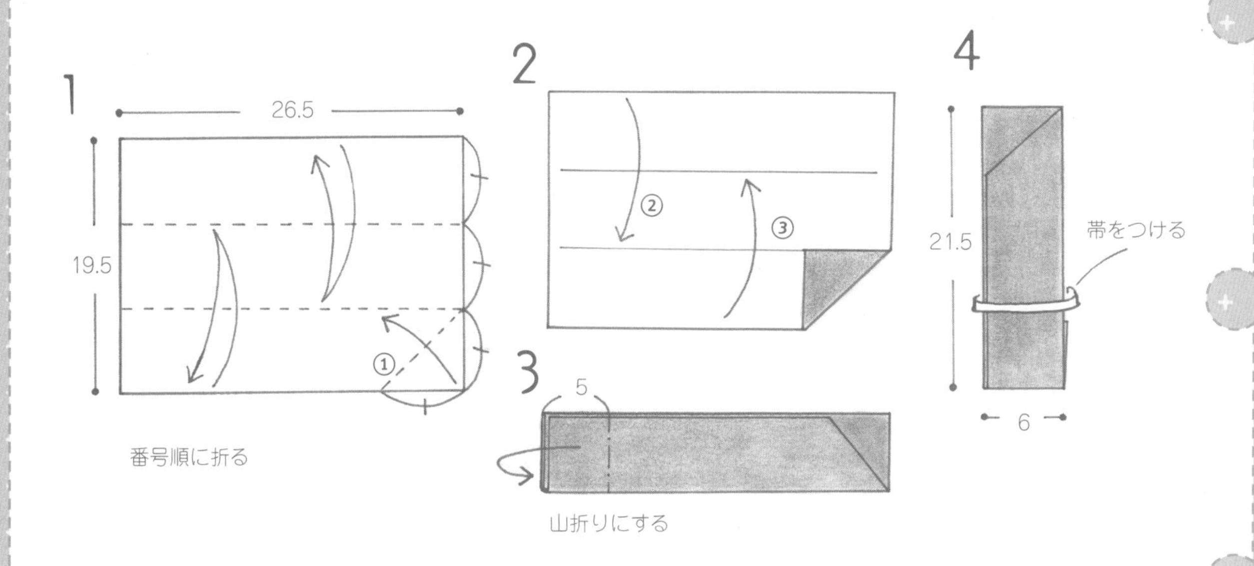

箸袋 2…和紙　白26.5×19.5cm、別紙19×26cm、0.5×10cm（帯）

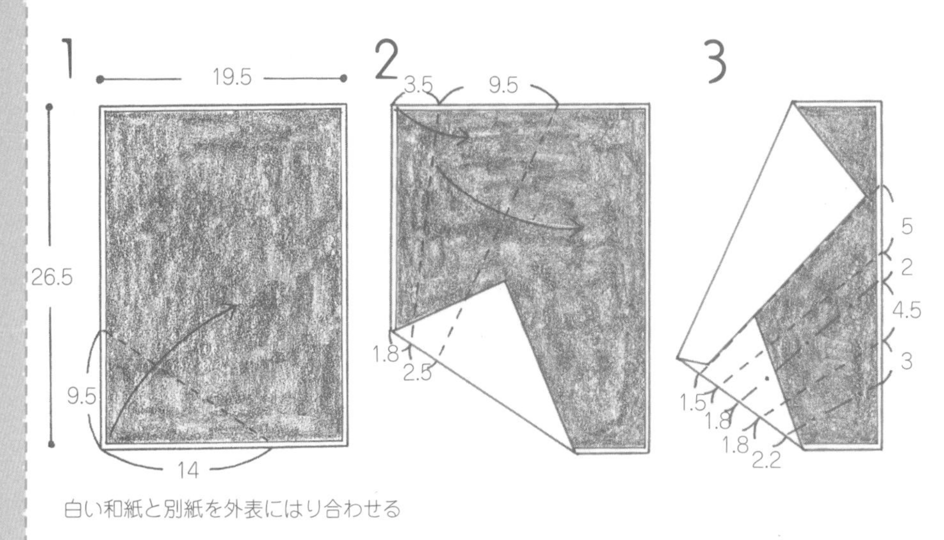

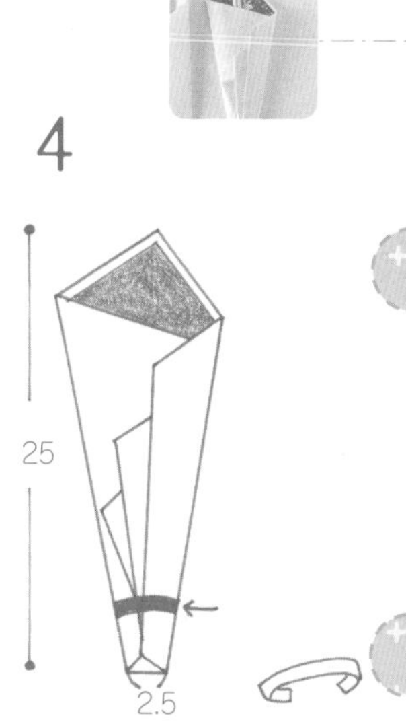

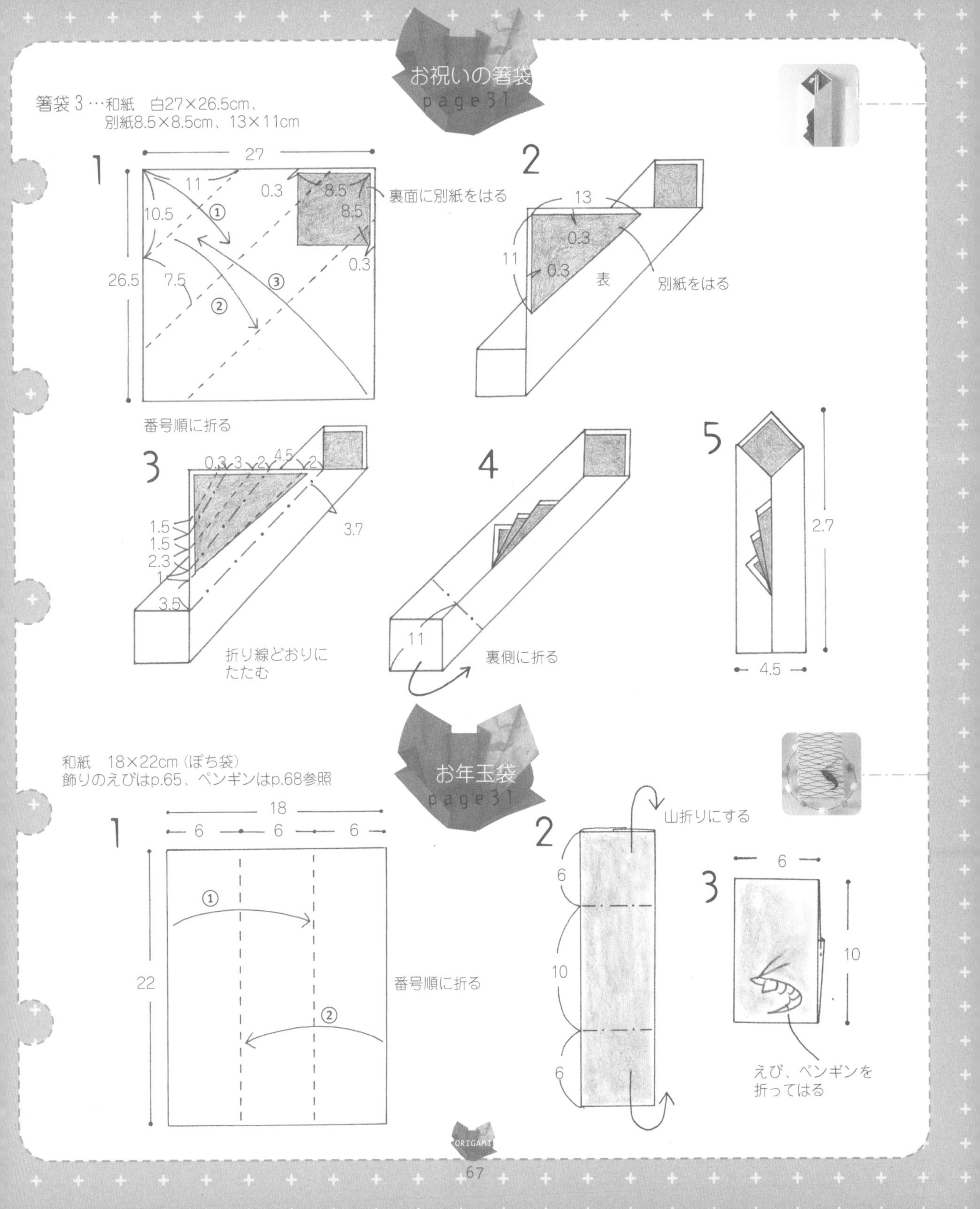
お祝いの箸袋
page31
箸袋３…和紙　白27×26.5cm、
別紙8.5×8.5cm、13×11cm
1
27
11
0.3
8.5
8.5
裏面に別紙をはる
10.5
①
26.5
7.5
②
③
0.3
番号順に折る
2
13
0.3
11
0.3
表
別紙をはる
3
0.3
3
2
4.5
2
1.5
1.5
2.3
1
3.5
3.7
折り線どおりに
たたむ
4
11
裏側に折る
5
2.7
4.5
和紙　18×22cm（ぽち袋）
飾りのえびはp.65、ペンギンはp.68参照
お年玉袋
page31
1
18
6
6
6
①
22
番号順に折る
②
2
山折りにする
6
10
6
3
6
10
えび、ペンギンを
折ってはる
ORIGAMI

お年玉袋

page31

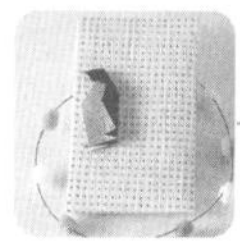

ペンギン…折り紙（銀×黒のリバーシブル）　5×5cm

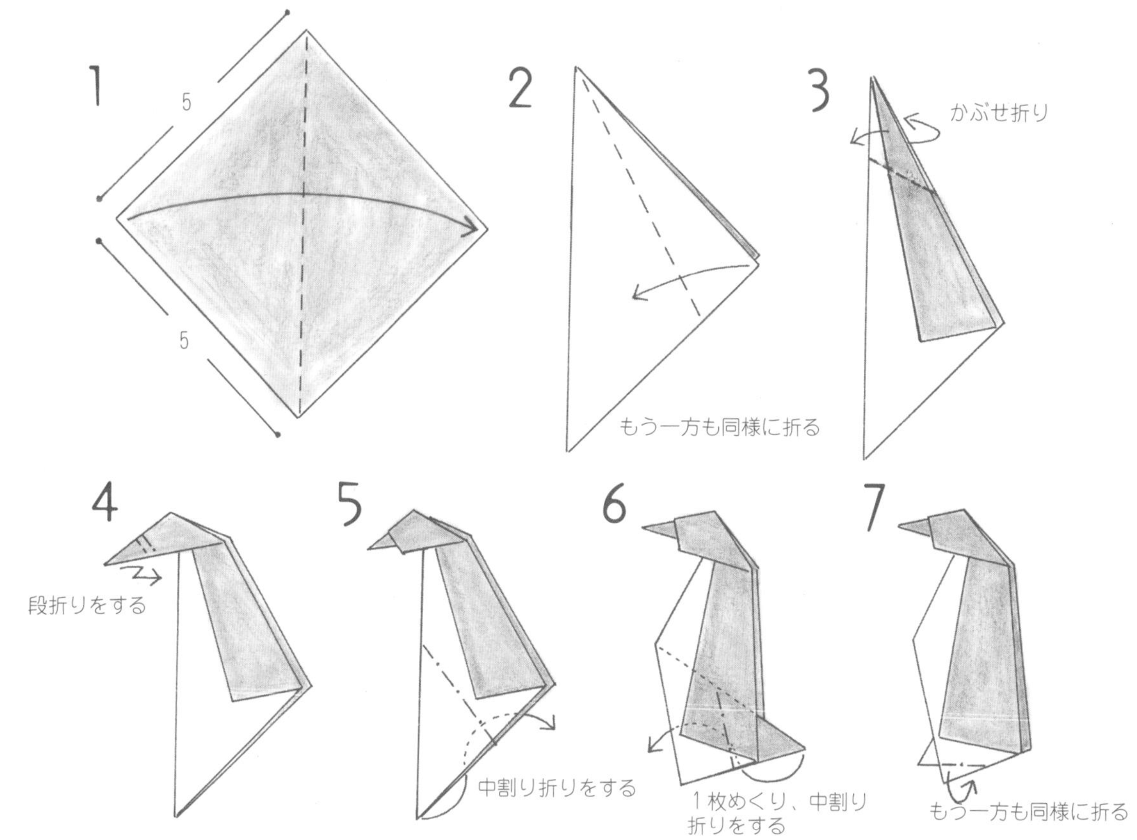

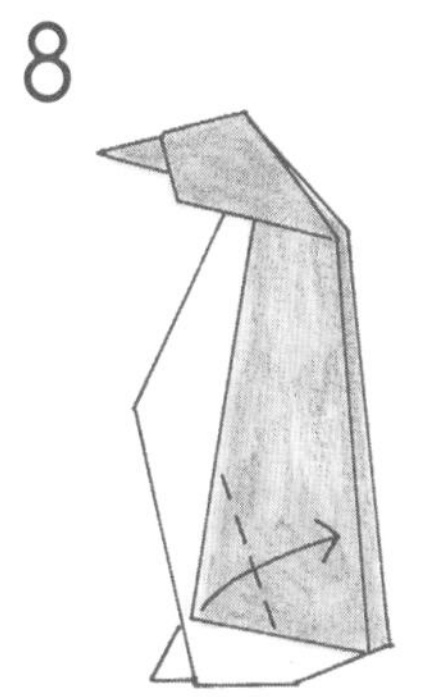

もう一方も同様に折る

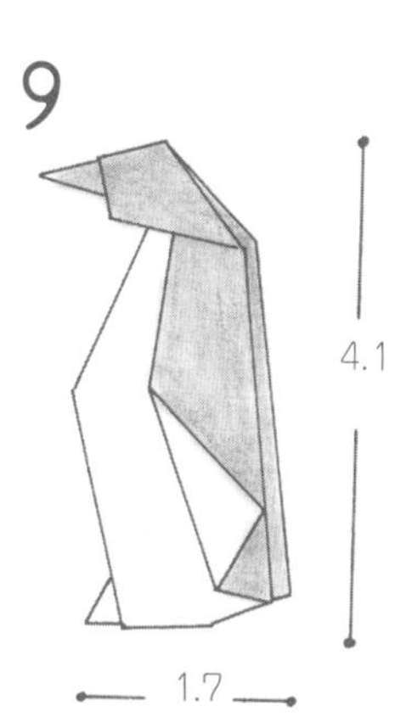

えび…和紙　5×5cm

※折り方はp.65のお正月飾り参照

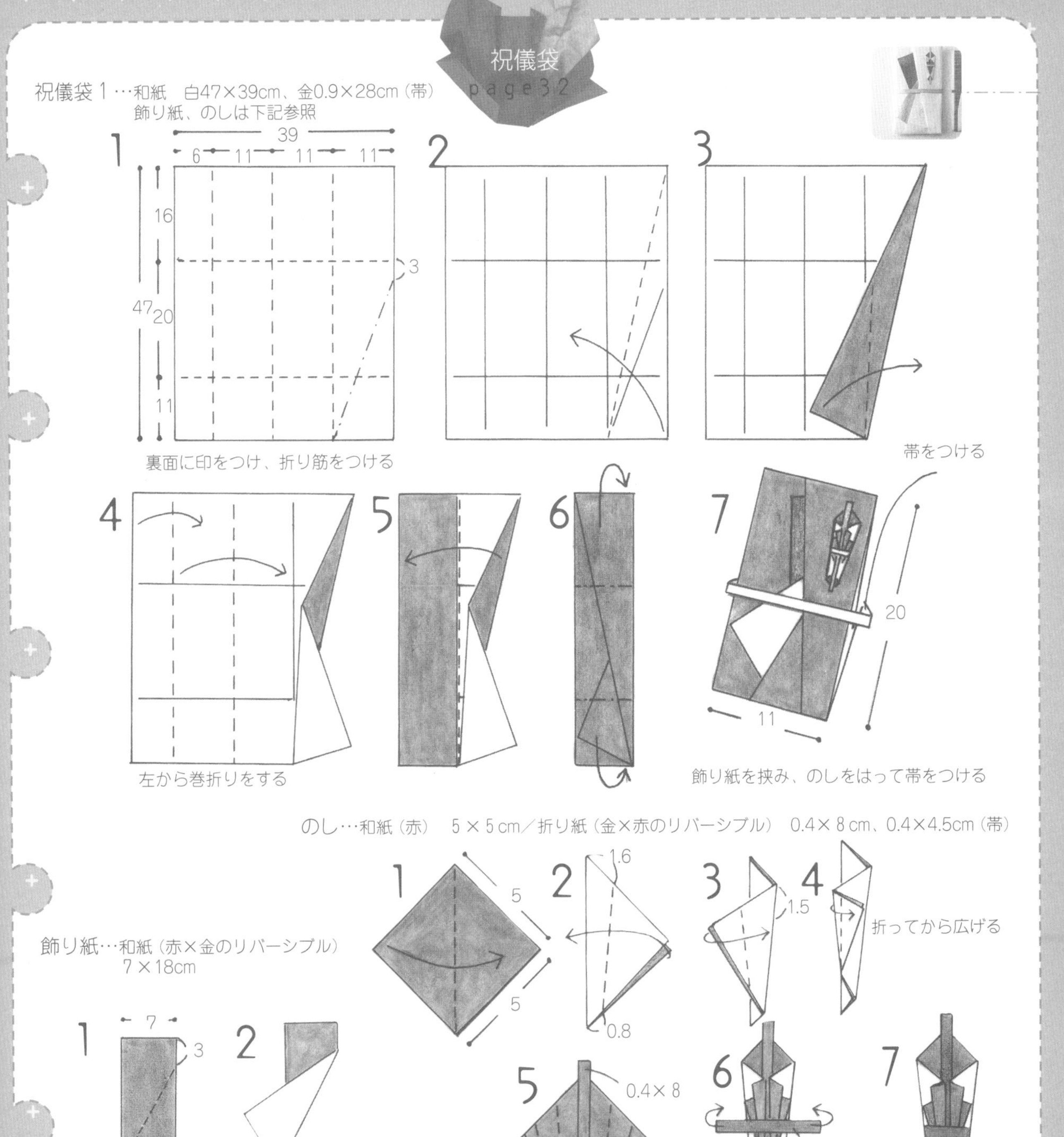
祝儀袋
page32
祝儀袋１…和紙　白47×39cm、金0.9×28cm（帯）
飾り紙、のしは下記参照
39
6　11　11　11
16
3
47
20
11
裏面に印をつけ、折り筋をつける
帯をつける
20
11
左から巻折りをする
飾り紙を挟み、のしをはって帯をつける
のし…和紙（赤）　5×5cm／折り紙（金×赤のリバーシブル）　0.4×8cm、0.4×4.5cm（帯）
5
5
1.6
0.8
1.5
折ってから広げる
0.4×8
中央に折り
紙をはる
0.4×4.5
帯をつける
飾り紙…和紙（赤×金のリバーシブル）
7×18cm
7
3
2

祝儀袋 2 …和紙　白30×40cm、別紙 3 ×40cm／折り紙　0.8×25cm（帯）

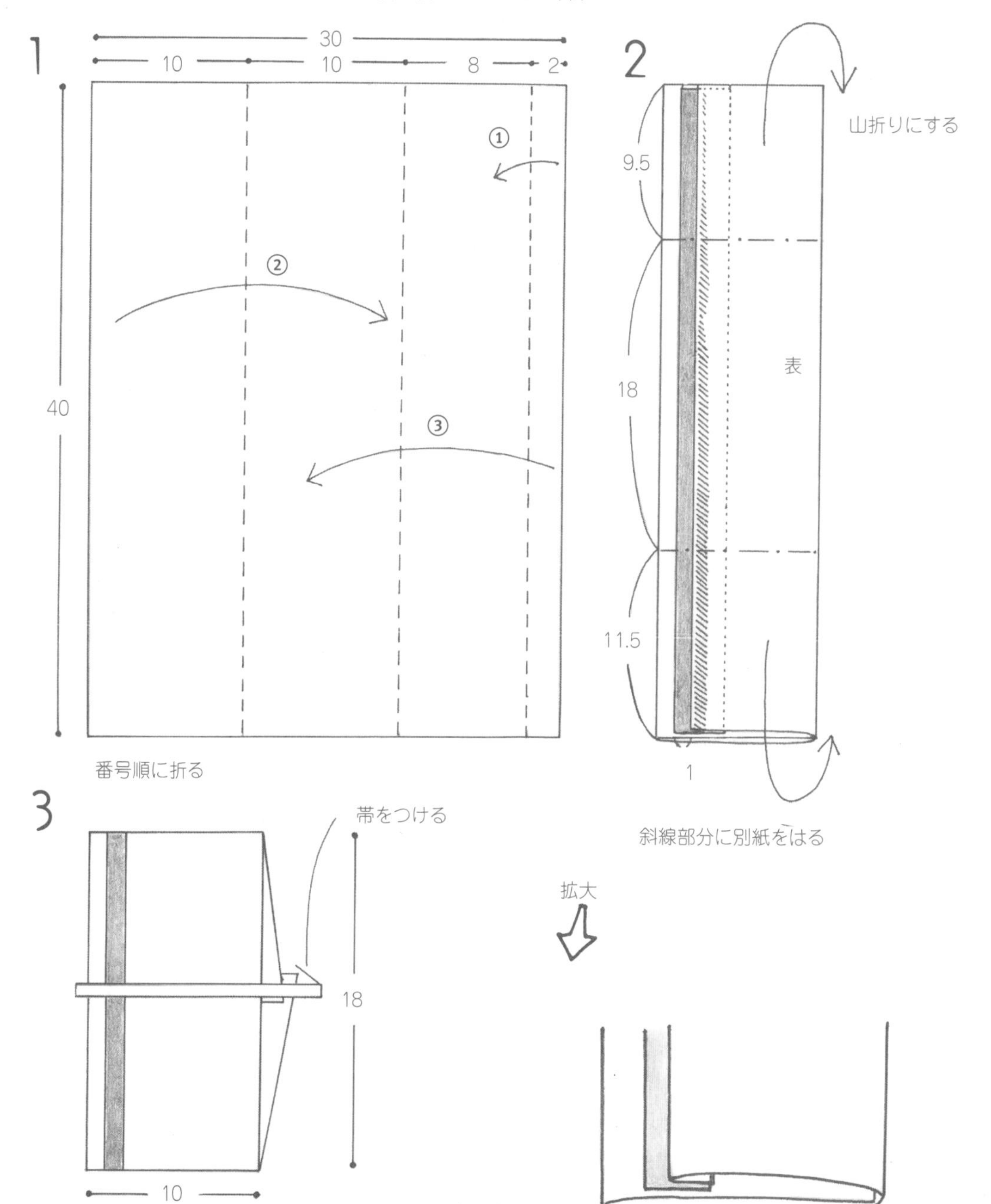

祝儀袋３…和紙　白30×40cm、別紙適宜／折り紙　0.8×25cm（帯）

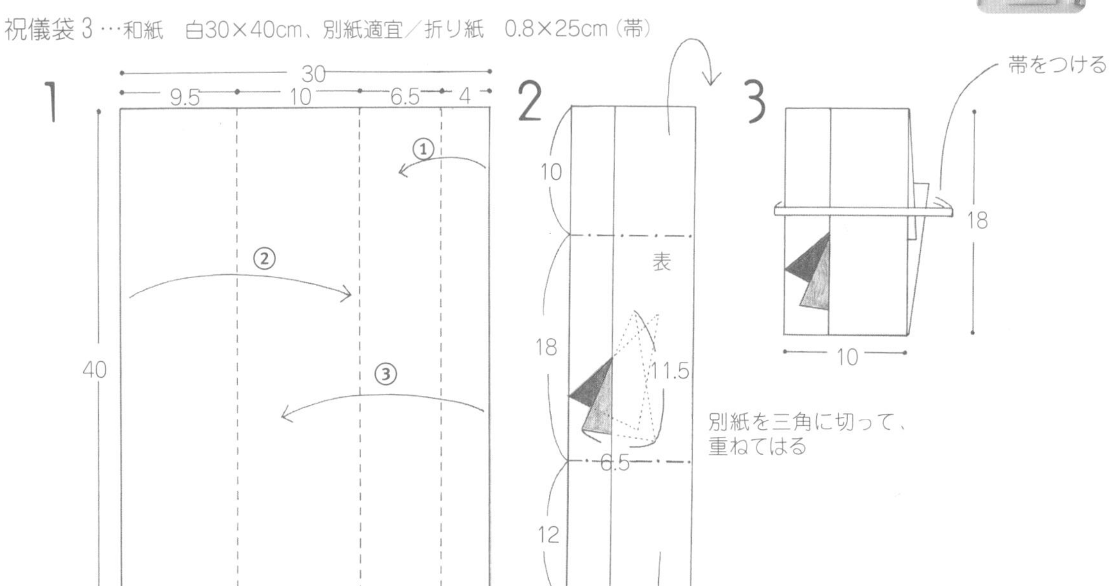

祝儀袋４…和紙　白29×40cm、別紙８×40cm
折り紙（金×赤のリバーシブル）　0.6×27cm（帯）

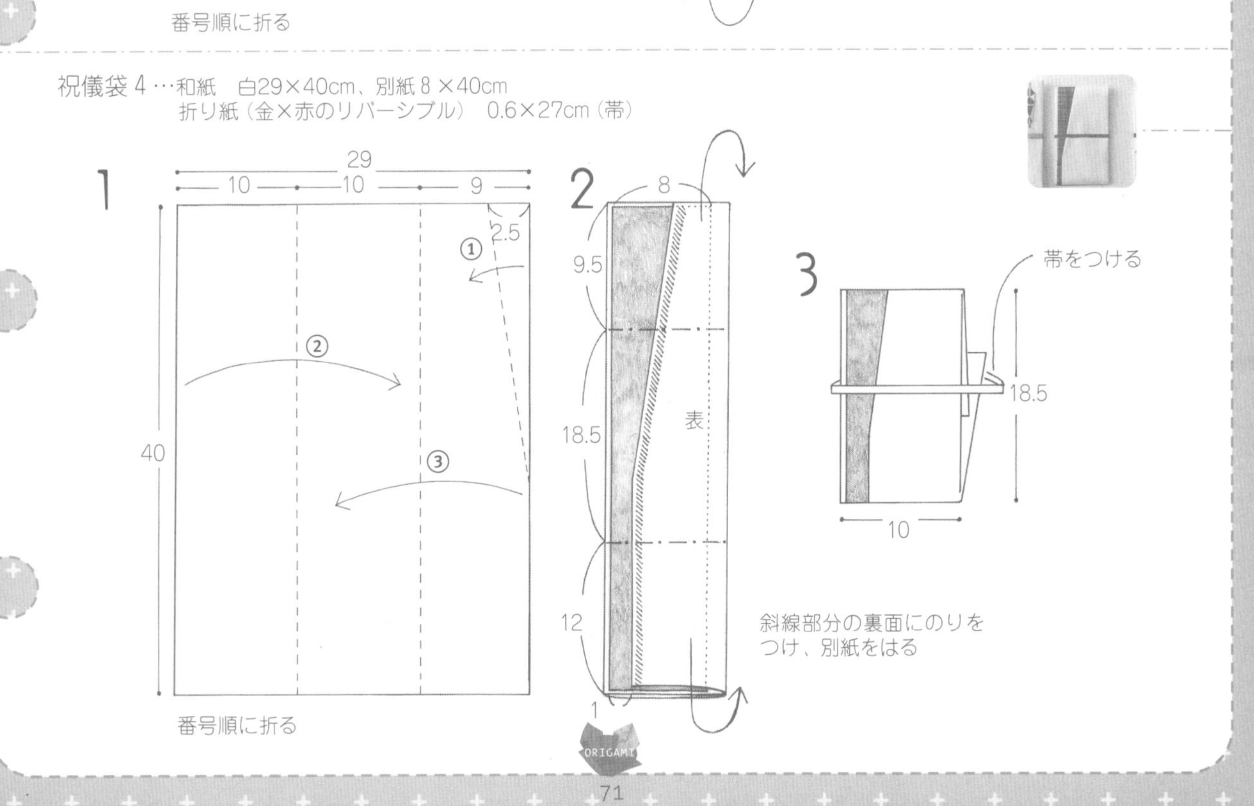

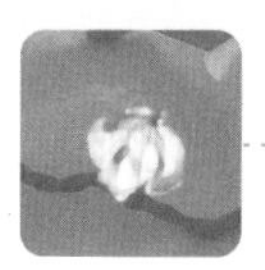

豆電球が過熱しないように充分注意してください

つぼみ…ペーパーナプキン　8×8cm／豆電球

1

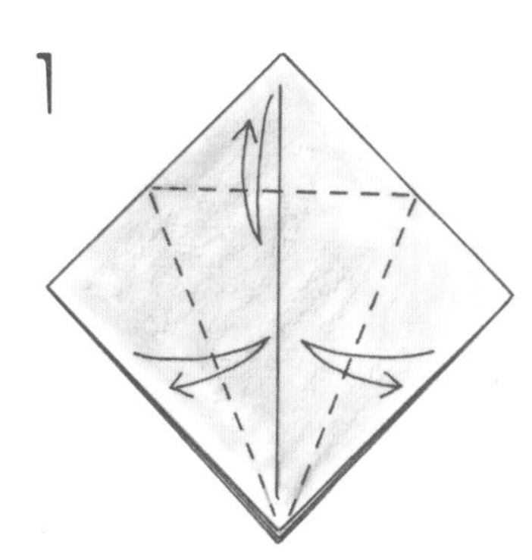

四角折りにしてから折り筋をつける

2

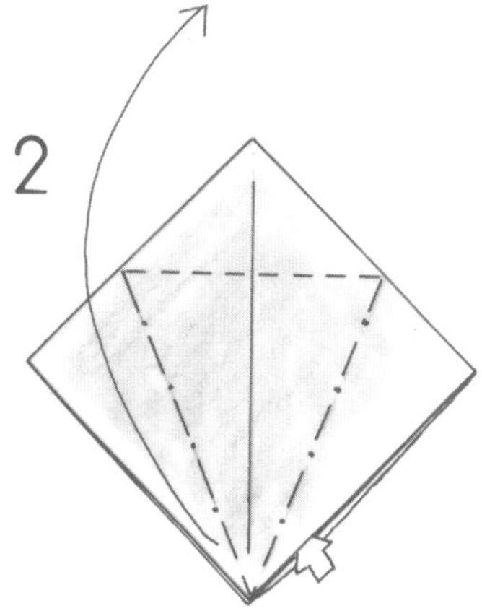

折り線どおりに折って開く。反対側も同様にする

3

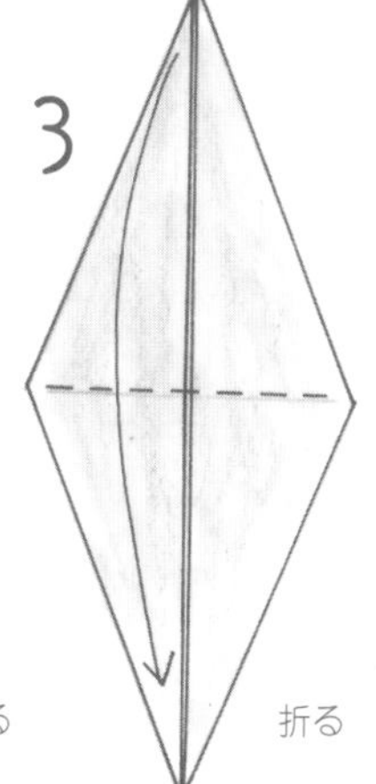

折る

4

中心に向かって折る。4か所とも同じ

5

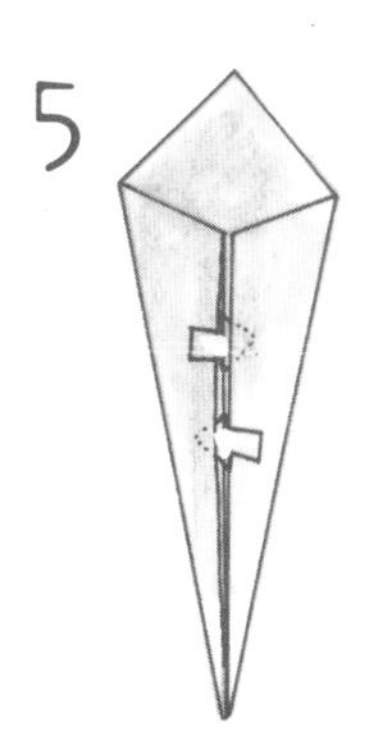

開いてつぶす。4か所とも同じ

6

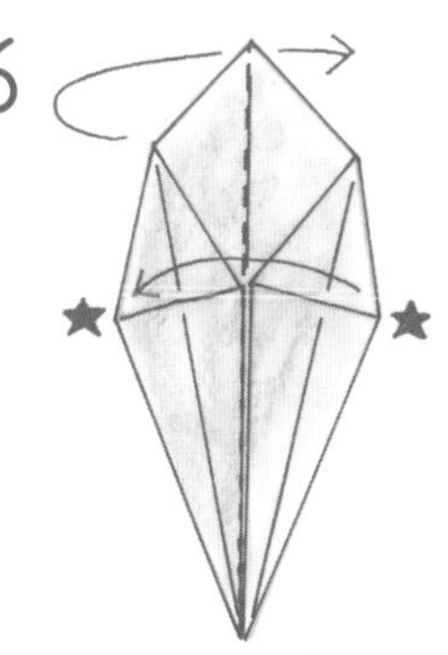

★どうしを合わせる。
反対側も同様にする

7

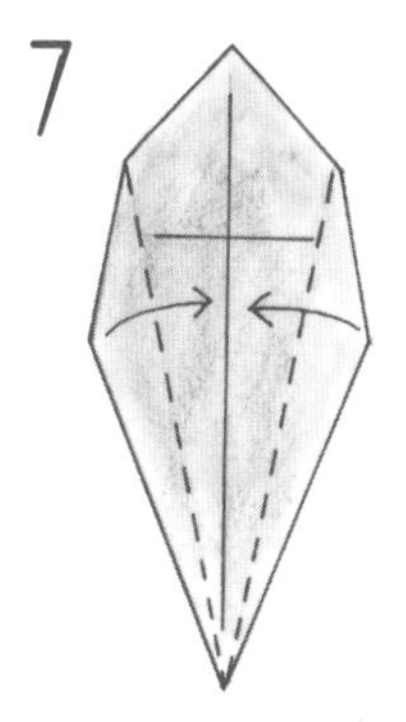

反対側も同様にする

8

先端を少し切り取る

ひねる

9

開く

豆電球を差し込む

ばらのランプ

page34

花…ペーパーナプキン　4×12cm×11枚、5×15cm×3枚／豆電球／30番ワイヤ／フローラルテープ

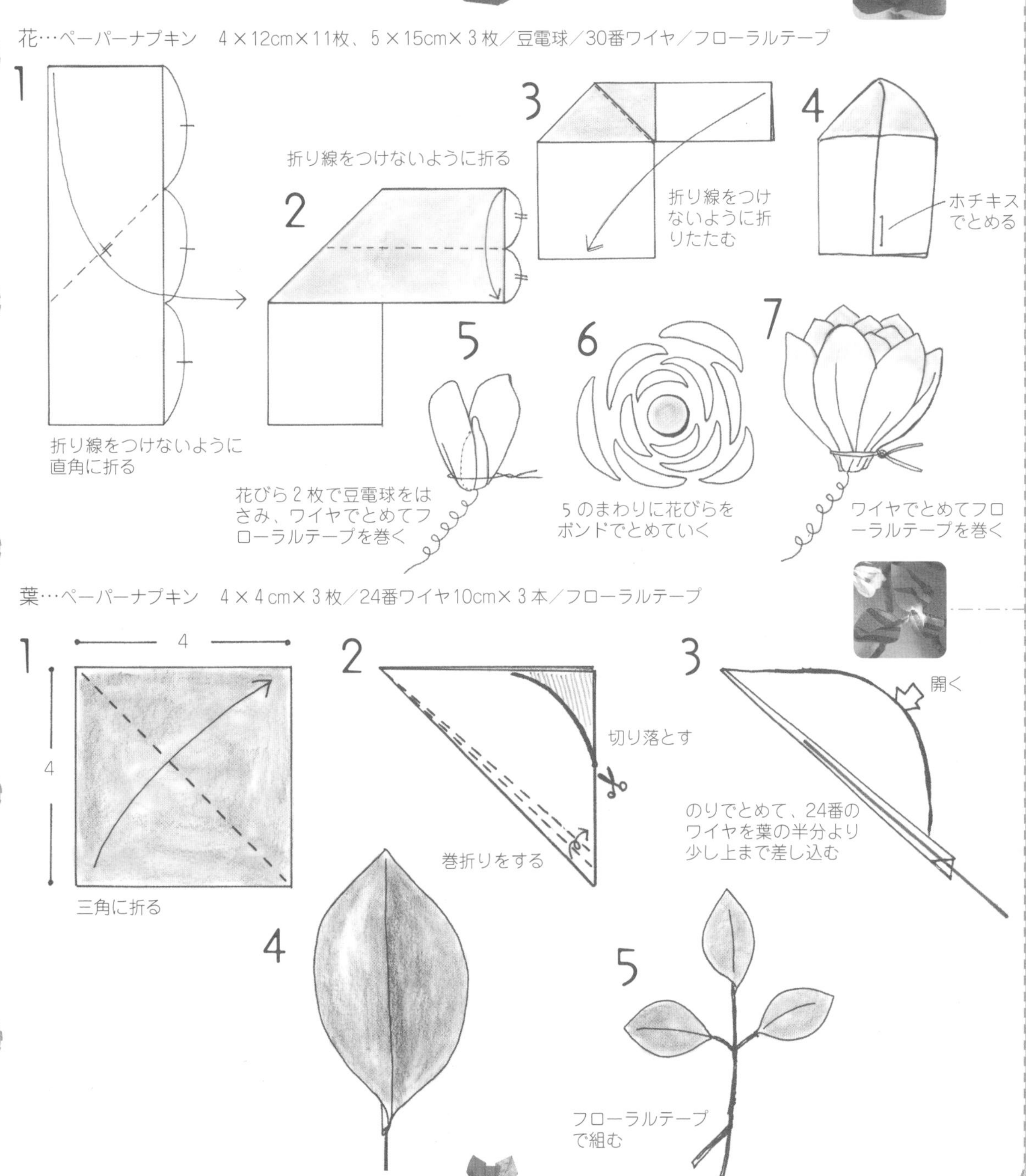

葉…ペーパーナプキン　4×4cm×3枚／24番ワイヤ10cm×3本／フローラルテープ

箱１（斜め包み）…ラッピングペーパー

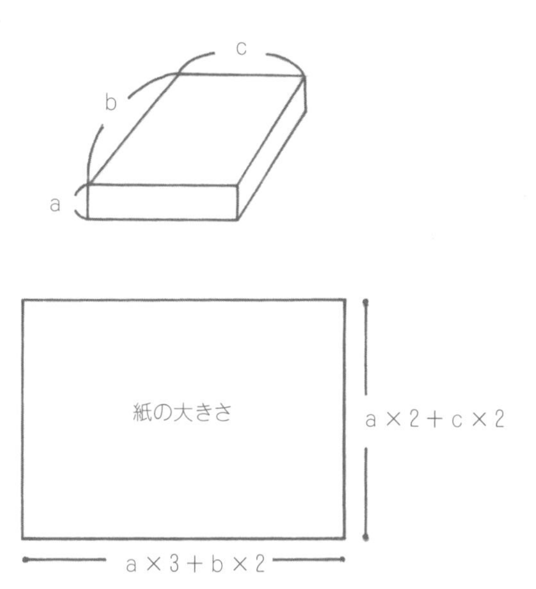

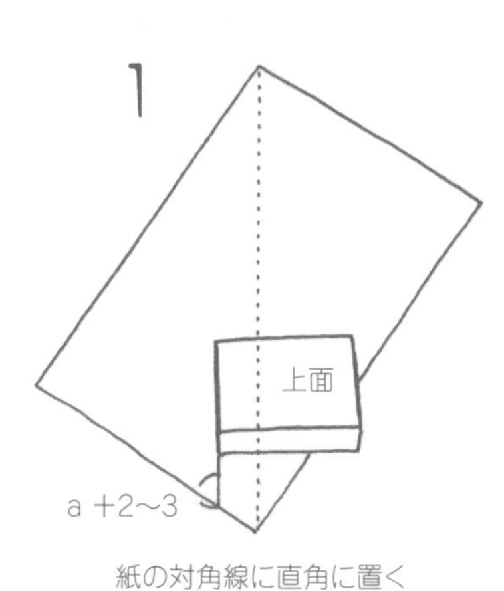

紙の対角線に直角に置く

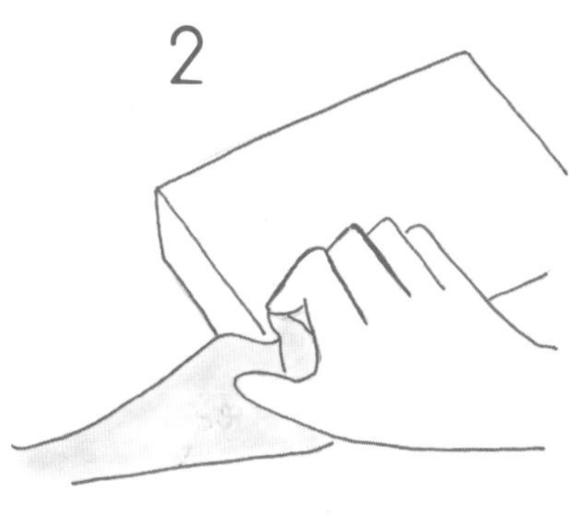

手前を折り上げて紙を箱の縁にそわせる。親指で折りぐせをつける

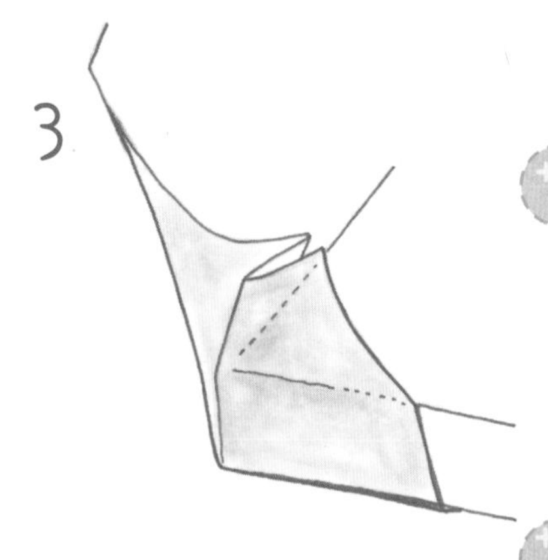

側面にそわせながら垂直に立ち上げる。箱の角に合わせる

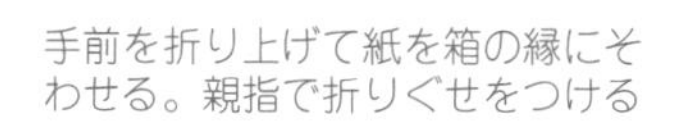

ラッピング
page36

4

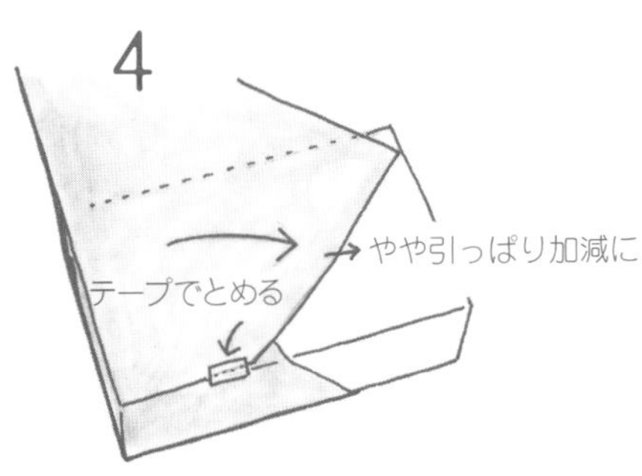

箱にそわせながら箱の上面に折る

5

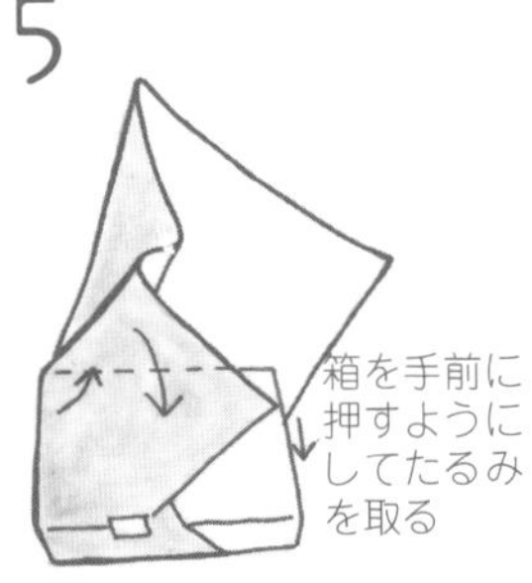

向うの角に紙をそわせ、指で折りぐせをつける

6

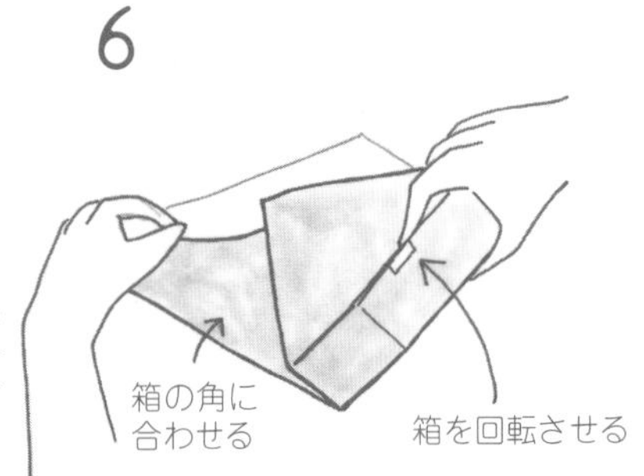

7

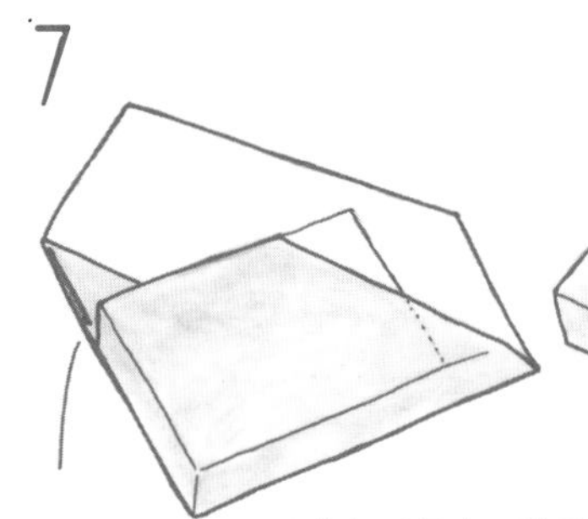

位置を決めてきちんと折り目をつける

8

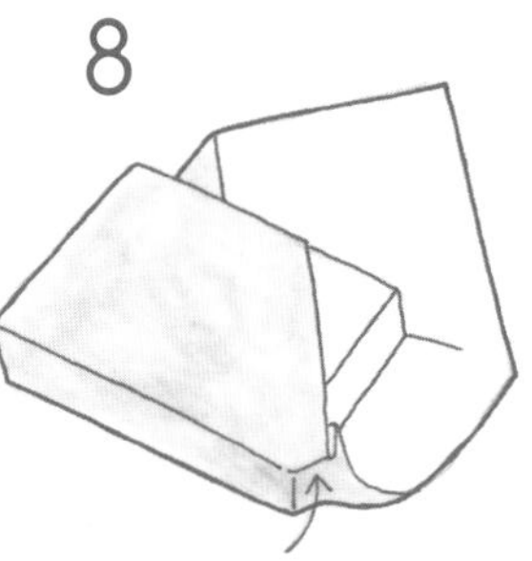

角に合わせて折りぐせをつける

9

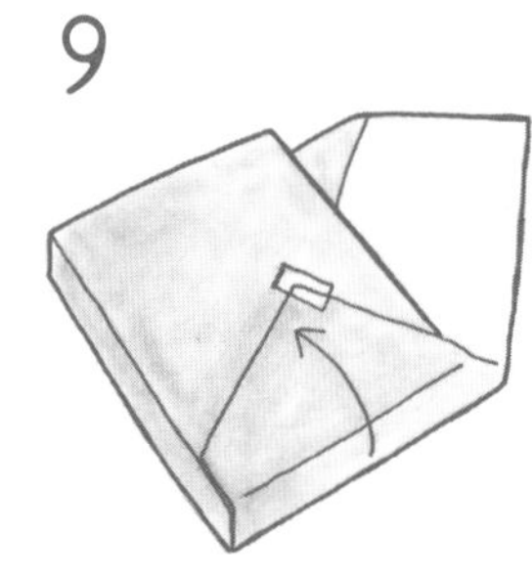

紙を引っぱりながら箱にそわせて折り、テープでとめる

10

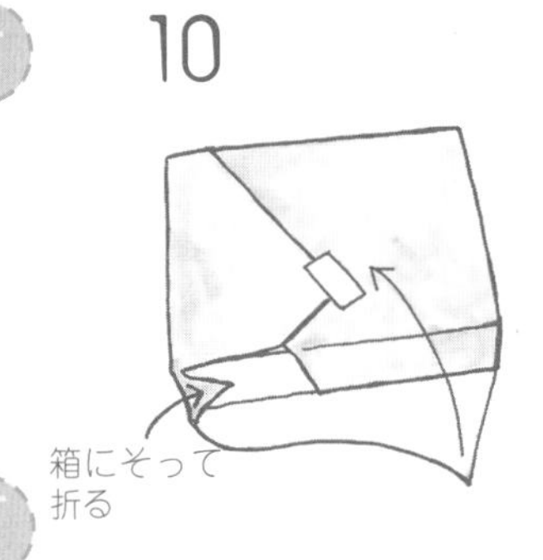

11

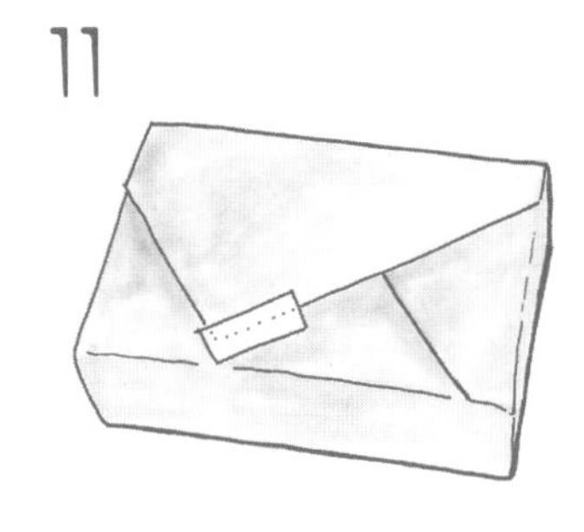

テープでとめる

12

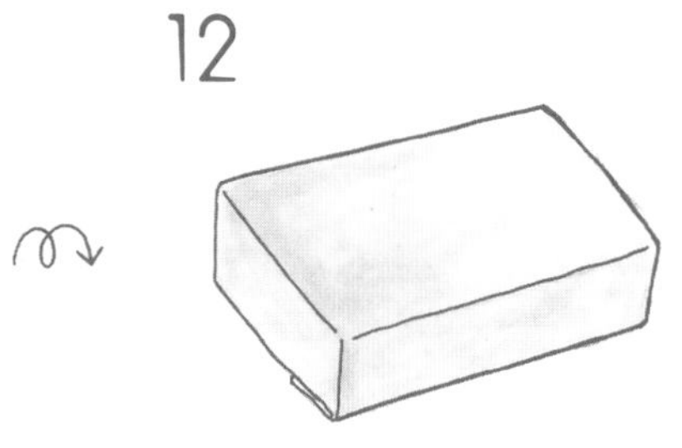

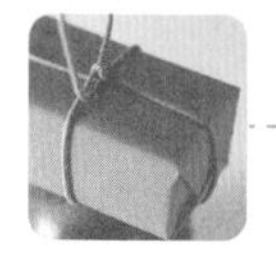

箱2（キャラメル包み）…ラッピングペーパー

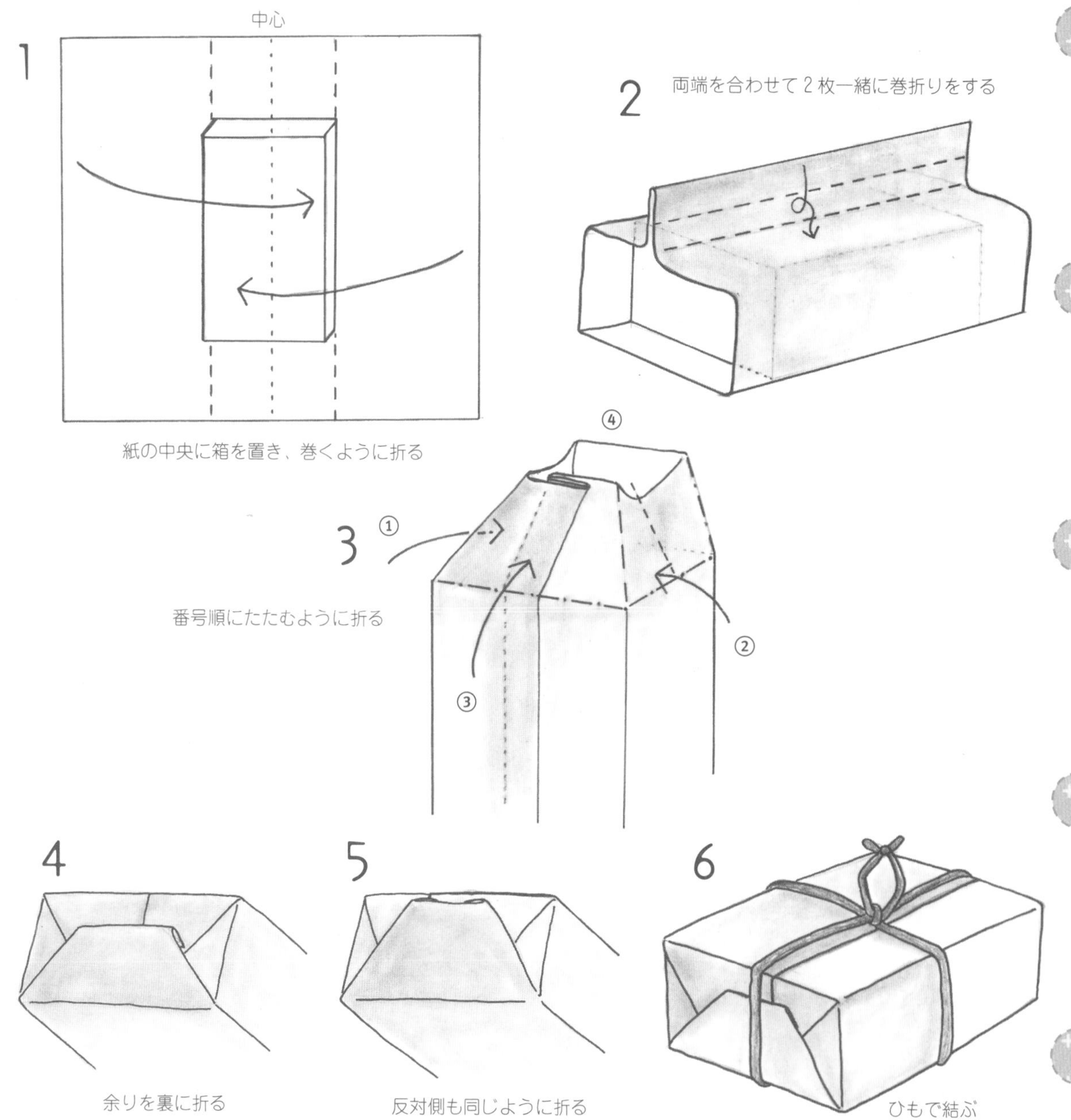

紙の中央に箱を置き、巻くように折る

番号順にたたむように折る

余りを裏に折る

反対側も同じように折る

ひもで結ぶ

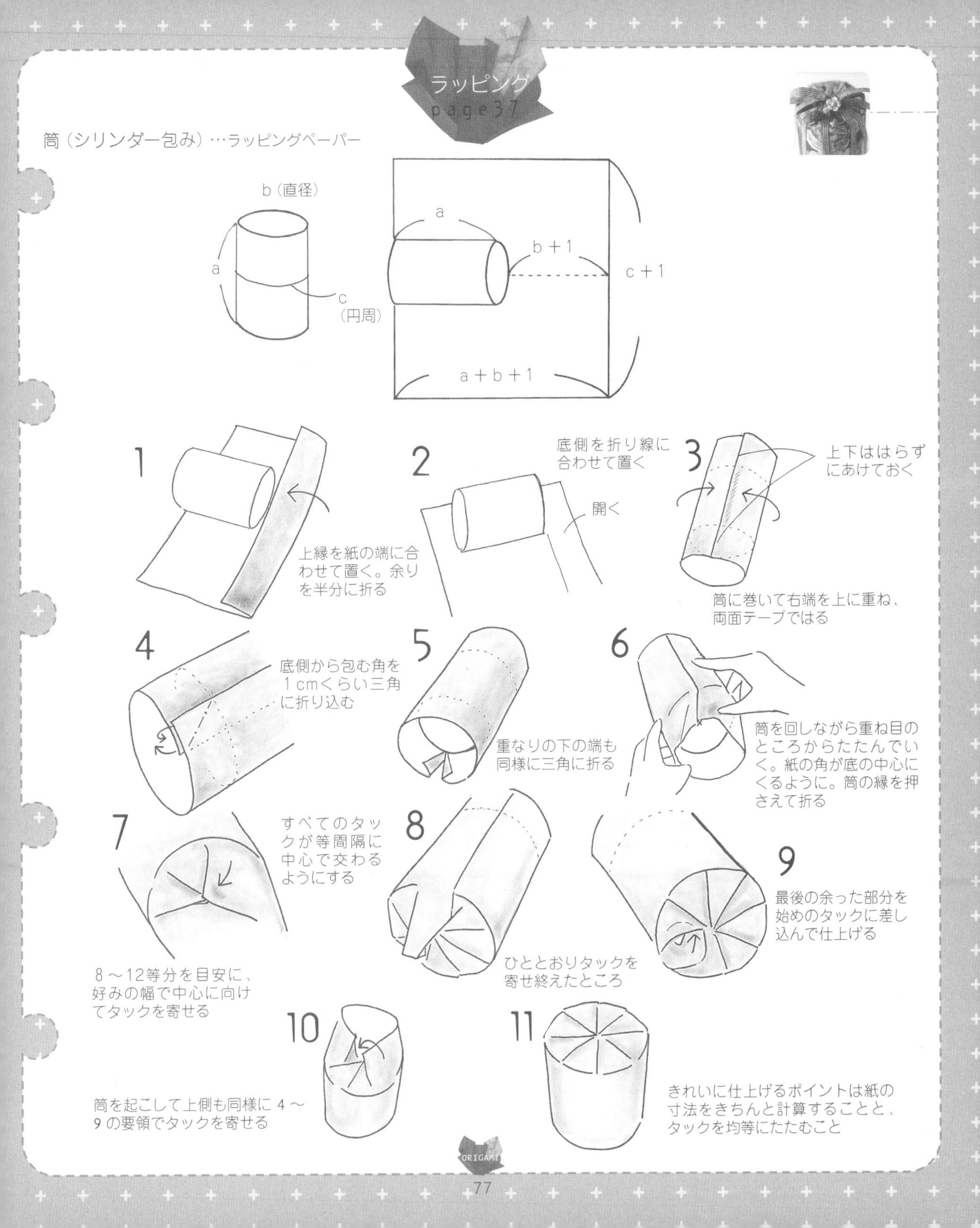
ラッピング
page37
筒（シリンダー包み）…ラッピングペーパー
b（直径）
a
c
（円周）
a
b＋1
c＋1
a＋b＋1
1
上縁を紙の端に合わせて置く。余りを半分に折る
2
底側を折り線に合わせて置く
開く
3
上下ははらずにあけておく
筒に巻いて右端を上に重ね、両面テープではる
4
底側から包む角を1cmくらい三角に折り込む
5
重なりの下の端も同様に三角に折る
6
筒を回しながら重ね目のところからたたんでいく。紙の角が底の中心にくるように。筒の縁を押さえて折る
7
すべてのタックが等間隔に中心で交わるようにする
8～12等分を目安に、好みの幅で中心に向けてタックを寄せる
8
ひととおりタックを寄せ終えたところ
9
最後の余った部分を始めのタックに差し込んで仕上げる
10
筒を起こして上側も同様に4～9の要領でタックを寄せる
11
きれいに仕上げるポイントは紙の寸法をきちんと計算することと、タックを均等にたたむこと
ORIGAMI

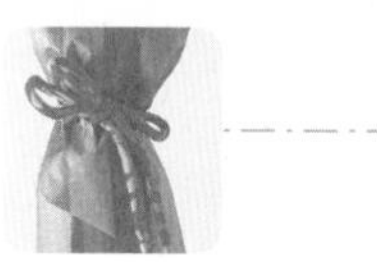

ボトル１…ラッピングペーパー　70×56cm（ボトルのサイズは直径８×高さ30cm）

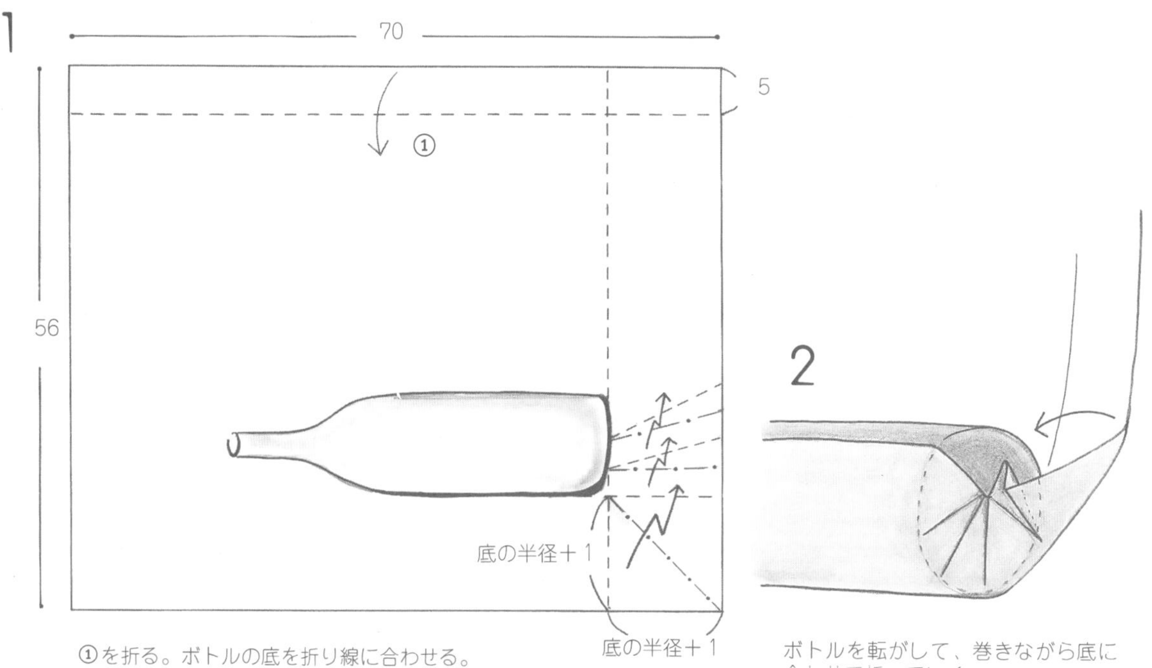

①を折る。ボトルの底を折り線に合わせる。

ボトルを転がして、巻きながら底に合わせて折っていく

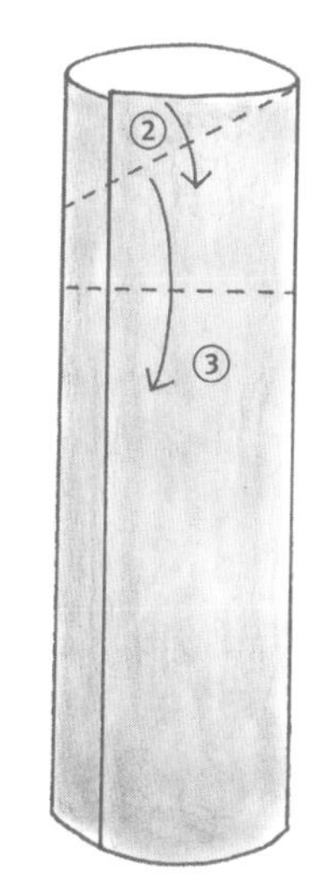

底を折ったらボトルを起こし、上部を②③の順に折る

ひもで結ぶ

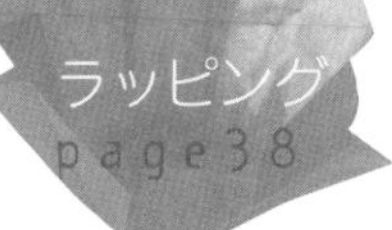

ボトル2…ラッピングペーパー

1

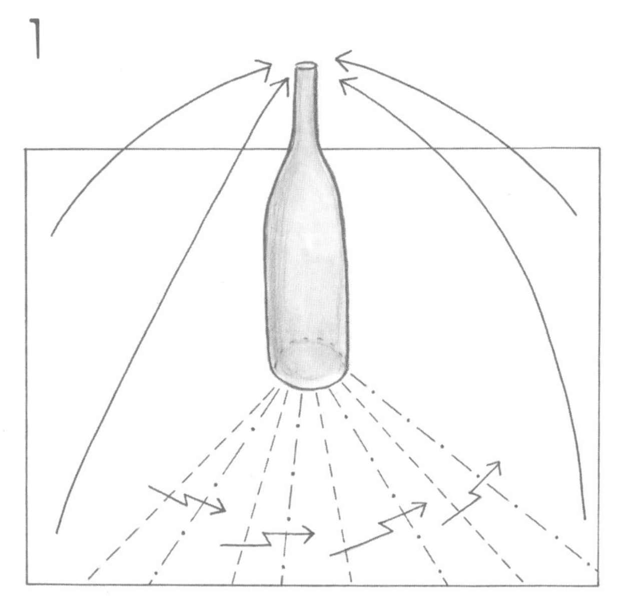

紙の中心にボトルを置き、全体にひだを寄せながら立ち上げる

2

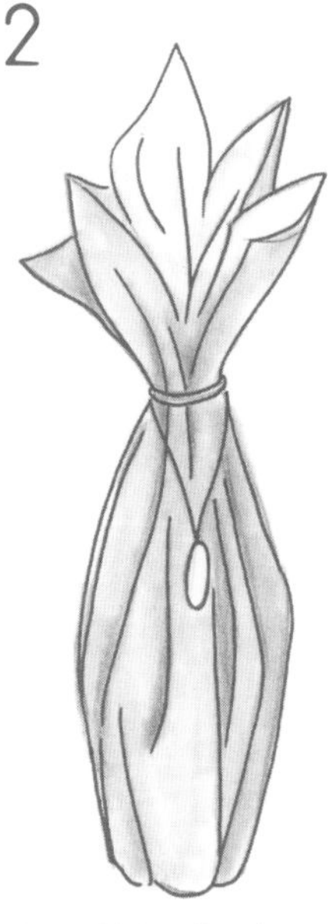

ひもで結んで飾りをつける

ぬいぐるみ
ラッピングペーパー

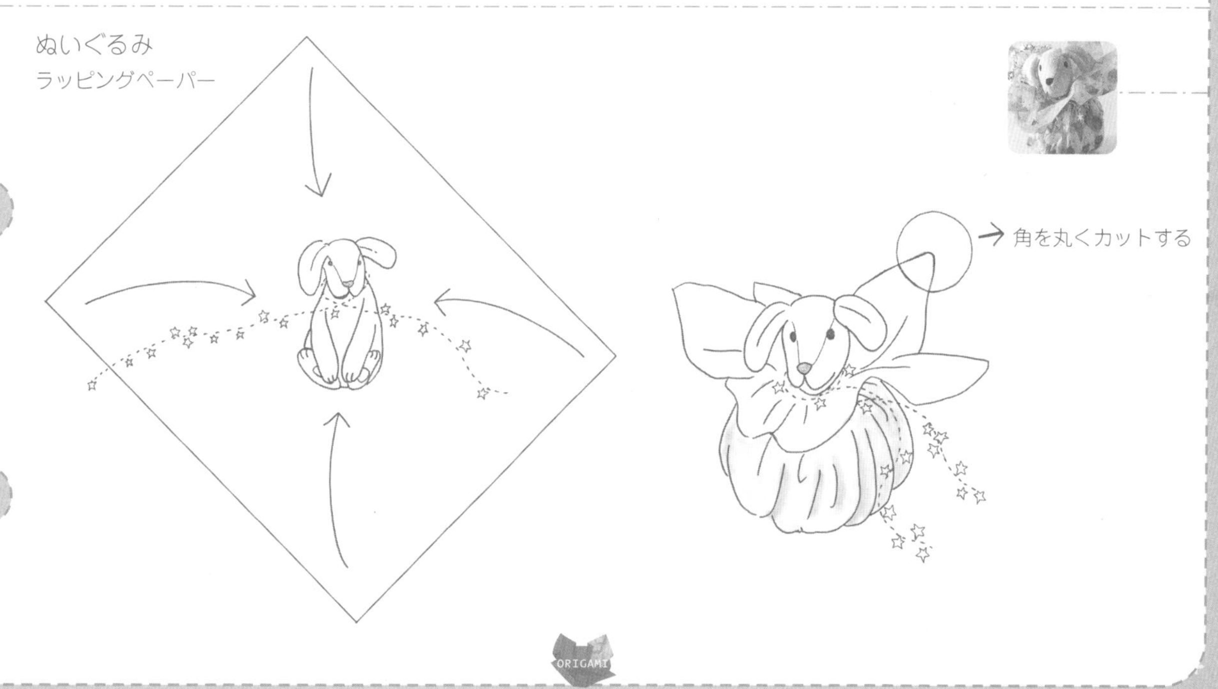

Profile
小林一夫（こばやし・かずお）
和紙の老舗「ゆしまの小林」4代目。おりがみ会館館長。折り紙教室で指導するかたわら、国内外で折り紙の展示、講演活動を行なう。伝統を守りつつ、常に新しい試みにもチャレンジしている。著書に『小さなおりがみ広がる世界』（日本ヴォーグ社）、『暮らしをいろどる折り紙』（SSコミュニケーションズ）、『暮らしの折り紙』（高橋書店）など。

紙が手に入るショップ

ゆしまの小林	TEL03-3811-4025
伊東屋	TEL03-3561-8311
東急ハンズ渋谷店	TEL03-5489-5111
包むファクトリー	TEL03-5478-1330

ブックデザイン　天野美保子
撮影　梶　洋哉
スタイリング　澤入美佳
折り紙製作　湯浅信江
折り図　松澤敦子

オリガミ雑貨Book

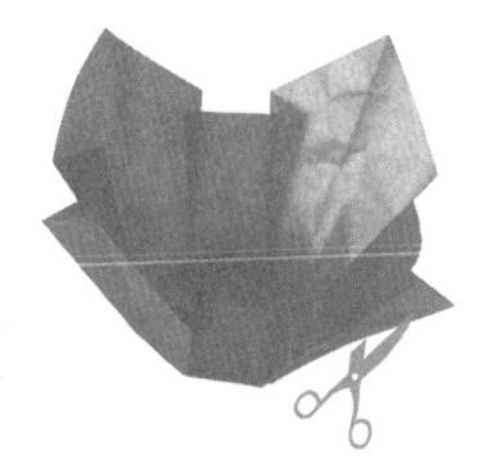

2002年5月26日　第1刷発行
2003年1月16日　第7刷発行

監　修　小林一夫
発行者　大沼　淳
発行所　文化出版局
〒151-8524
東京都渋谷区代々木3-22-1
電話 03-3299-2490（編集）
03-3299-2542（営業）
印刷所　株式会社文化カラー印刷
製本所　大口製本印刷株式会社

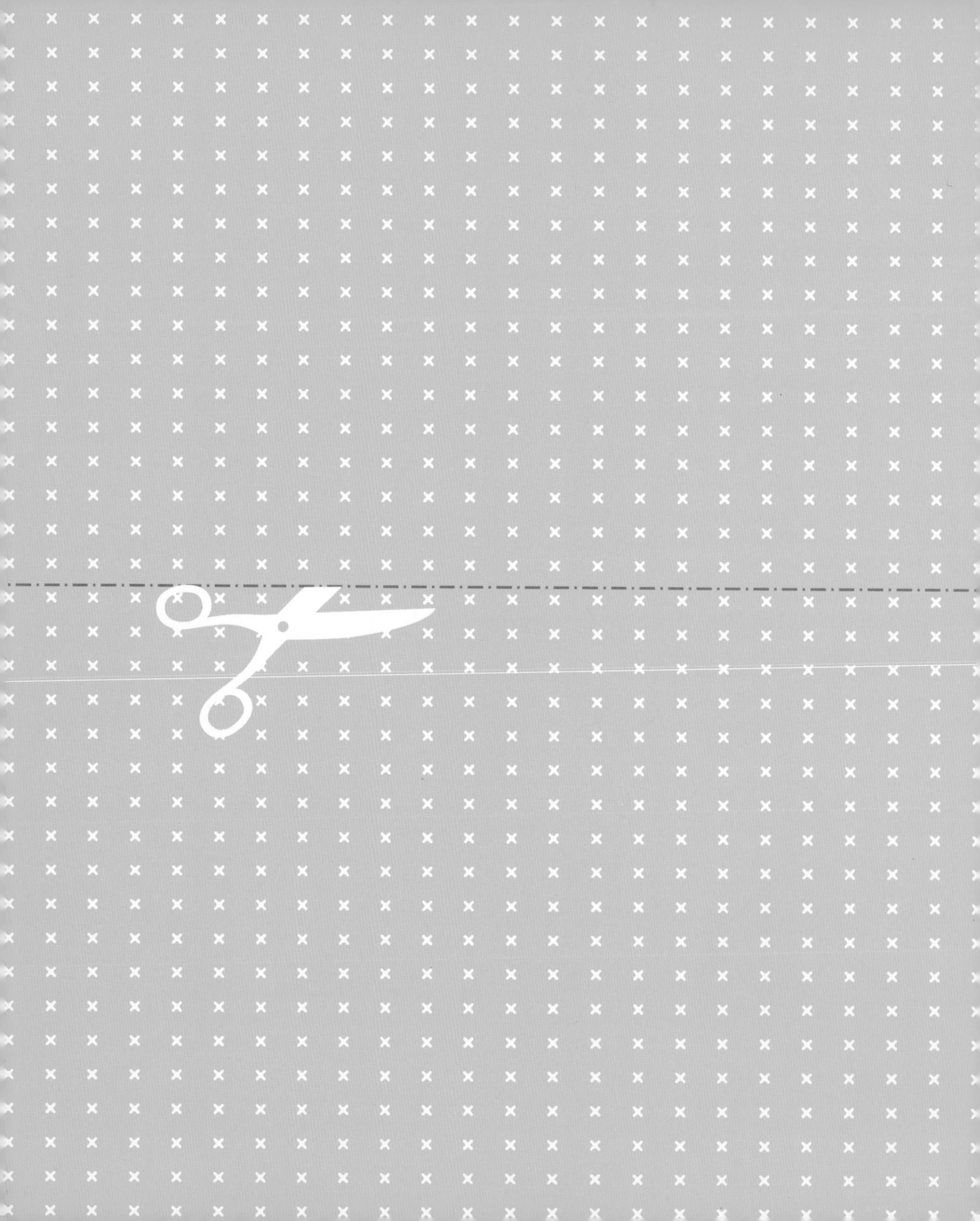